L'ALIMENTATION DISSOCIEE D'APRES HAY

Selon Dr. HAY et Dr. WALB

par

Docteur Méd, LUDWIG WALB

•

Santé et sveltesse par l'Alimentation Dissociée

AVEC CHAPITRE SUPPLEMENTAIRE POUR DIABETIQUES

•

35e EDITION REFONDUE

•

KARL F. HAUG VERLAG - HEILDELBERG

"CIP" - Enregistrement du titre abrégé à la Bibliothèque Allemande

WALB, LUDWIG

Die Haysche Trennkost: d'après Dr. Hay et Dr. Walb de Ludwig Walb.
Avec de nombreux menus et recettes culinaires de Ilse Walb

35e édition refondue

Heidelberg: Haug 1981
ISBN 3-7760-094-7

Publié en langue italienne «Alimentazione dissociata di Hay» en 2ème édition.

17ème édition 1967 à 35ème édition 1981 Karl F. Haug Verlag Gmbh & Co. - Heidelberg

N. d'édition 8114
ISBN 3-7760-0594-7

D'autres traductions en d'autres langues en préparation
Réalisation globale:
Pfälzische Verlagsanstalt Gmbh & Co. KG, Landau/Pfalz

L'Alimentation Dissociée d'après HAY tient compte de la chimie du corps humain. Les syndromes engendrés par une constitution insensée de la nourriture sont connus. Le mélange inconsidéré des substances de protéine, des hydrates de carbone et de la graisse ainsi que la négligence des éléments essentiels, dont l'absence perturbe les fonctions du corps humain, entraînent non seulement des dérangements de la digestion et des maladies du métabolisme mais également de nombreuses autres maladies y compris le cancer. La nourriture doit être d'abord constructive, ensuite agréable et s'harmoniser enfin avec les lois de la chimie. HAY a démontré l'efficacité résultant d'une nourriture constituée de manière judicieuse et n'impliquant nullement le renoncement aux plaisirs de la table. L'Alimentation Dissociée d'après HAY sauvegarde la santé, procure le bien-être et la joie de vivre, même dans des cas où régnait déjà la maladie ou la souffrance.

L'Alimentation Dissociée est praticable dans tous les ménages sans qu'elle n'entraîne une charge supplémentaire pour la ménagère.

La publication de 35 éditions importantes de ce livre sur une courte période constitue la preuve de l'efficience de l'Alimentation Dissociée d'après HAY.

KARL F. HAUG VERLAG

HEIDELBERG

CONTRAIREMENT A TOUTES LES FORMES DE NOURRITURE

L'ALIMENTATION DISSOCIEE

EST UNE DISSOCIATION DES SUBSTANCES DE PROTEINE ET DES HYDRATES DE CARBONE AU COURS DE CHACUN DES REPAS COMPLETES RESPECTIVEMENT PAR UNE PART IMPORTANTE DE SALADES OU DE LEGUMES OU DE CRUDITES

EN CONSIDERANT QUE, D'APRES HOLTMEIER, PLUS D'UN TIERS DE LA POPULATION MEURT ACTUELLEMENT DE MALADIES INFLUENCEES PAR LA NOURRITURE, L'ON COMPREND ALORS QUE CELLE-CI DOIVE ETRE SOUMISE A UNE REFORME

DEVISE

L'AGE DE L'ETRE HUMAIN N'EST PAS DETERMINE PAR LE NOMBRE D'ANNEE MAIS BIEN PAR SON MODE DE VIE ET DE NOURRITURE, LA DATE DE NAISSANCE EST SANS IMPORTANCE

INTRODUCTION

«Le succès de cet ouvrage en Allemagne explique qu'il en soit à la 35ème édition dans ce Pays. Des compléments ayant été réalisés entre les différentes éditions, ceci explique les 4 préfaces explicatives précédent l'ouvrage proprement dit».

PREFACE A LA DEUXIEME EDITION

Ce petit livre contient la synthèse des constatations établies personnellement par un médecin dont le livre “A New Health Era” me tomba entre les mains, par hasard, en 1939 peu avant la dernière guerre mondiale. Je pourrais aussi appeler ce hasard une destinée car, à cette époque, j'avais lu et mis moi-même à l'épreuve presque tous les écrits des chercheurs dans le domaine de la nutrition.

Toutes les méthodes de nourriture portées à ma connaissance au cours de cette étude préconisaient la consommation d'une quantité plus grande de fruits et de légumes, d'une quantité moindre de protéine et de farine d'amidon concentrées ainsi que l'utilisation de farine de grain complet et d'aliments non dénaturés. Mais aucune de ces méthodes ne tenait compte du fait que la constitution de la nourriture doit également respecter la chimie du corps humain. Après avoir examiné ces éléments de manière approfondie j'en conclus que l'Alimentation Dissociée d'après HAY, tenant compte de manière aussi évidente et simple des lois chimiques de la digestion, doit être considérée en tant que progrès important de nos connaissances dans le domaine de l'alimentation.

J'ai donc pensé que si la thèse de HAY était exacte, sa

théorie devait être applicable en premier lieu au malade évoqué à la page 103. Ce cas de maladie avait fait l'objet d'examens cliniques par le Professeur VOLHARD qui l'avait déclaré incurable du point de vue médical. Ce cas avait été soumis à toutes les méthodes de traitement possibles et même un changement de climat en Egypte n'apporta pas le succès désiré. Lorsque j'envisageai d'appliquer l'Alimentation Dissociée à ce malade, il avait donc déjà été condamné par les médecins et les phénomènes d'intoxications apparaissant déjà semblaient d'ailleurs confirmer cette condamnation.

Les antécédents commémoratifs donnent toutes les précisions au sujet de la manière convaincante dont l'Alimentation Dissociée d'après HAY provoqua malgré tout la guérison de ce malade sans avoir dû recourir à aucun médicament (cf. page 103, cas 1). La justesse de la dissociation des aliments selon les points de vue chimiques et sa répercussion sur le corps humain m'ont été nettement prouvées dans le cas précité, à savoir au cours de la maladie de l'un des organes les plus sensibles et présentant l'une des plus grandes capacités de réaction, c'est-à-dire les reins.

Même si entre-temps les antibiotiques et d'autres remèdes médicaux améliorés développent le marché pharmaceutique, c'est cependant de la nourriture journalière que dépendent la santé et le bien-être de l'être humain.

L'Alimentation Dissociée d'après HAY fut également appréciée par l'illustre Professeur VOLHARD.

Le médecin américain Dr. Howard HAY n'était pas chimiste dans le domaine des produits alimentaires; ses constatations reposent sur ses propres pensées et études. HAY a essayé de donner dans ses livres certaines explications concernant ses constatations inhérentes aux processus chimiques se déroulant dans le corps humain. Il avait, avec sa nutriologie, devancé de loin notre pensée contemporaine et remporta ainsi un grand succès.

Conformément à la conception de HAY, je désire donner en premier lieu à mes lecteurs des directives qui les conduiront à un genre d'alimentation plus judicieux que le mode de nourriture acquis jusqu'à présent.

C'est précisément à notre époque où le problème des produits alimentaires est redevenu un facteur très onéreux qu'il est indiqué de réfléchir sur la question de savoir de quelle façon nous serons en mesure de mieux exploiter la nourriture; il faut considérer, en outre, qu'une nourriture non exploitée est anti-économique, abstraction faite des maladies que peuvent engendrer les repas mal digérés. Il serait également intéressant, du point de vue scientifique, d'effectuer d'autres essais à l'aide de l'Alimentation Dissociée d'après HAY. Ceux portés à ma connaissance ont abouti à d'excellents résultats.

J'estime qu'il est également justifié du point de vue médico-scientifique de publier un mode de nourriture généralement encore inconnu en Allemagne mais dont la présentation scientifique ne peut être le but de ce livre. Le grand public ne s'intéresse que de manière secondaire aux théories scientifiques. Le malade s'intéresse à ce qui peut l'aider.

La première édition de ce livre — rapidement épuisée — et le grand nombre des enthousiastes adhérents à ce genre de nourriture confirment que la publication en était nécessaire dans l'intérêt des malades mais aussi des personnes saines. Certains de mes collègues, tel que le Professeur Dr. BALTERS, Waldbröl, ont apprécié la présentation simple de l'Alimentation Dissociée d'après HAY. Une théorie de nutrition déviant de manière remarquable des méthodes traditionnelles doit être comprise d'abord par la ménagère et par la cuisinière. La traduction seule des écrits originaux de HAY dépourvue de toute directive pratique et sans recettes culinaires n'aurait pas suffi à la majorité des êtres humains. Compte tenu également de la demande qui m'a été adressée par de nombreuses cliniques connues j'ai donc expliqué de la manière la plus compréhensible le principe de l'Alimentation Dissociée.

HOMBERG, en mars 1957

Dr. med. WALB

PREFACE A LA DIXIEME EDITION

Nous publions actuellement la 10ème édition de "L'Alimentation Dissociée d'après HAY".

Depuis la première publication du livre, il y a trois ans environ, nous avons reçu de nombreuses lettres intéressantes et exprimant la reconnaissance de lecteurs allemands et de l'étranger qui ont pu améliorer leur état de santé grâce à l'Alimentation Dissociée.

C'est ainsi que le Dr. K., W., nous écrit: «Je vous exprime ma très cordiale gratitude parce que vous avez écrit un livre, compréhensible pour le grand public et dont la teneur, lorsque l'on s'y conforme rigoureusement, représente, en effet, l'une des meilleures ordonnances médicales».

Certes, tous les aliments — à l'exception de la viande — contiennent de par leur nature des "mélanges" (cf. tableau REIN-STEPP, pages 50/51 mais la dissociation à elle seule des éléments extrêmes (protéine dissociée des hydrates de carbone) conduit à des améliorations remarquables de l'état de santé des diabétiques et des êtres humains souffrant de maladies rénales. L'opinion de HAY se trouve d'ailleurs confirmée de manière permanente dans notre clinique.

Si même des profanes préparant la nourriture conformément à notre livre apprennent à la pratiquer de manière à aboutir au succès, avec quelle facilité plus grande les personnes qualifiées davantage à cet égard devraient-elles alors pouvoir confirmer l'exactitude des directives de l'Alimentation Dissociée d'après HAY.

Même s'il n'était pas possible d'apporter d'autre preuve que celle fournie par les diabétiques et les personnes souffrant de maladies rénales elle suffirait, à mon avis, à l'assurance de la valeur et de l'efficience de cette alimentation. En effet, quelle pourrait être la constitution de nourriture autre présentant intégralement la même efficience tout en étant entièrement nourrissante?

Nous-mêmes et nos malades estimons que l'Alimentation Dissociée constitue une facilité dans le domaine culinaire car elle est plus aisément praticable que n'importe quelle autre méthode de nourriture. Il faut évidemment en acquérir la connaissance et la pratique comme dans le cas de toute autre innovation. En vue de la meilleure initiation à l'Alimentation Dissociée, nous nous sommes efforcés de la constituer de telle façon, pour notre clinique, à ce qu'elle réponde au goût témoigné en général par les êtres humains et que chacun puisse la composer d'après les directives indiquées.

Selon notre expérience, les meilleurs résultats ont été obtenus par cette manière de procéder qui facilite la mise en application de l'Alimentation Dissociée aux personnes qui n'ont pas le temps d'étudier ce livre de manière approfondie. La dissociation d'après HAY n'entraîne aucune confusion car elle indique des directives plus claires que celles de tout autre mode de nourriture et, abstraction faite des produits dénaturés, elle n'élimine que peu d'aliments. Elle constitue une pure alimentation complète, elle est rassasiante et nourrissante.

Cette 10ème édition fera donc également son chemin de manière imperturbable et nous espérons qu'elle remportera le même succès que les précédentes.

Homberg, en juin 1960

Dr. méd. Ludwig WALB et Ilse WALB

PREFACE A LA 17ème EDITION

Nous avons indiqué dans notre 17ème édition des données scientifiques concernant l'efficacité de l'Alimentation Dissociée.

Nous espérons que toujours davantage de médecins bénéficieront de ces expériences et les appliqueront à leurs malades afin de prétendre à l'état de santé optimal et à l'efficience physique la meilleure.

Homberg, en juin 1967

Dr. méd. Ludwig WALB et Ilse WALB

◆

PREFACE A LA 20ème EDITION

A la demande de nos lecteurs nous avons ajouté à la 20ème édition une brève explication concernant la diagnose et la thérapie électroneurales pratiquées dans notre clinique.

L'Alimentation Dissociée et la diagnose/thérapie électroneurales appliquées en commun, et se complétant réciproquement, se sont répercutées très favorablement et de manière vérifiable sur les valeurs de mesurage et par conséquent sur l'amélioration du cours de la maladie. Elles constituent un traitement approprié et intégral.

Nous espérons donc que cette édition constituera également une aide destinée aux malades.

Homberg, en octobre 1969

Dr, méd. H.L. WALB et Ilse WALB

CONSTATATION ETABLIE PAR LA SOCIETE ALLEMANDE DE L'ALIMENTATION

CHAQUE 25ème ALLEMAND en R.F.A. DOIT D'ORES ET DEJA SUIVRE UN REGIME DIETETIQUE

CETTE CONSTATATION NE DOIT-ELLE PAS INCITER CHAQUE ALLEMAND A LA REFLEXION?

Par exemple à la suivante:

Si la nourriture habituelle est tellement parfaite pourquoi chaque Allemand, en R.F.A., doit-il alors suivre un régime diététique?

ou bien:

Pourquoi ne pas manger d'emblée selon des principes diététiques?

ou bien:

Faut-il d'abord souffrir du diabète pour s'astreindre alors à un régime diététique sévère?

ou bien:

Quels étaient les principes erronés pratiqués antérieurement?

NOUS SOMMES HEUREUX DE POUVOIR AJOUTER A LA 35ème EDITION UNE PARTIE COMPLEMENTAIRE DESTINEE AU DIABETIQUES

LA 35ème EDITION CONTIENT QUELQUES NOUVEAUX ANTECEDENTS COMMEMORATIFS ET UNE EXPLICATION CONCERNANT LA THERAPIE ELECTRONEURALE D'APRES CROON. NOUS ESPERONS QUE CETTE EDITION SERA ENCORE MIEUX COMPRISE PAR SES LECTEURS ET QU'ELLE LEUR CONVIENDRA.

◆

INTRODUCTION

Il existe actuellement pour presque chaque maladie interne un régime diététique, à savoir un autre pour chaque organe. La plupart du temps, ces régimes diététiques interdisent tellement de choses que rares sont les personnes à même de s'y conformer pendant longtemps, à moins que la vie d'un malade n'en dépende effectivement.

Ci-dessous sont énoncés quelques-uns de ces régimes diététiques:

1) Régime en cas de maladies de l'estomac et du duodénum.
2) Régime en cas de maladies cardiaques et de troubles circulatoires.
3) Régime en cas de maladies des reins et des voies urinaires.
4) Régime de crudités et de végétarisme.
5) Régime en cas de goutte.
6) Régime en cas de diabète.
7) Régime en cas de maladies du foie et de la vésicule biliaire.
8) Régime du nourrisson et de la petite enfance en cas de santé et de maladie.
9) Régime en cas d'obésité.

10) Régime des malades fébriles et des convalescents (régime de ménagement).
11) Régime en cas de maladies intestinales.
12) Régime en cas de rhumatisme, migraine et autres maladies.
13) Régime en cas d'asthme bronchique et d'emphysème pulmonaire.

Cette liste peut être prolongée à volonté sans tenir compte des régimes alimentaires visant la sveltesse et des nombreuses diètes à d'autres fins (par exemple: cure de Hollywood).

Sont connus également des genres de maladies difficilement ou même nullement influençables par des médicaments mais dont l'état se trouve amélioré et aboutissant à la guérison lorsque la nourriture absorbée correspond à la chimie du corps humain.

Les constatations sur lesquelles se base cette thèse sont nouvelles et elles méritent d'être éclairées à fond.

Les habitudes pratiquées jusqu'à présent dans le domaine de l'alimentation se conforment essentiellement au goût et à l'appétit de l'être humain. Lors de banquets l'on mange encore davantage et plus copieusement que d'habitude. Ceux qui doivent participer souvent à de tels repas en connaissent aussi les conséquences. Il s'agit généralement, en premier lieu, de fatigue seulement ou bien de dérangements de la digestion. Il s'y ajoute ensuite des maladies cardiaques et des troubles circulatoires. En se basant sur les récentes constatations il est possible d'éviter de telles maladies lorsque l'on discerne leur danger en temps opportun.

Il suffit de reconnaître les lois chimiques de la digestion et d'en tenir compte.

Notre alimentation se compose essentiellement de protéine, de graisse, d'hydrates de carbone, de vitamines et de minéraux. Nos aliments les contiennent dans les compositions les plus diverses. Or, si nous examinons les taux auxquels ces substances sont contenues dans les aliments, nous constatons qu'il existe des produits — tels que la viande et le poisson — qui ne contiennent pas d'hydrate de carbone et que les hydrates de carbones eux contiennent seulement des quantités minimes de protéine — souvent en éléments indispensables seulement — et représentent donc de pures hydrates de carbone.

Si (pour des raisons inhérentes au goût) nous mélangeons, au cours d'un repas, ce que la nature a omis de mélanger, nous commettons déjà par là la première infraction aux lois chimiques de la digestion.

Peut-être que ces lois de la digestion ne pourront jamais être éclaircies intégralement mais toutes les erreurs commises par suite d'une constitution insensée de la nourriture pourront être décelées par leurs tableaux nosographiques.

Dès l'âge du nourrisson, l'être humain grandit en pratiquant des habitudes d'alimentation erronées et il s'habitue vraisemblablement à son mode de nourriture. Le taux de mortalité des nourrissons et celui des enfants, même dans un pays aussi moderne que l'Amérique, est très élevé. Le degré préliminaire à la maladie des adultes, pouvant être désignée par la «grande fatigue», présente, selon HAY, un taux très élevé en Amérique. L'être humain ne tombe pas toujours instantanément malade, mais la «grande fatigue» (HAY) paralyse son aptitude aux décisions et son énergie liée à l'efficience. Ce fait à lui seul est beaucoup plus préjudiciable à l'être humain et à un peuple qu'une quelconque maladie effective car, le plus souvent, il ne peut être retenu par les statistiques. Si nos habitudes liées à la nourriture étaient empreintes d'un caractère physiologique, c'est-à-dire si elles étaient salutaires au corps humain, les dérangements de la digestion et les maladies du métabolisme n'affecteraient pas l'humanité dans une mesure aussi importante. Les innombrables maladies de la circulation sanguine seraient plus rares; d'après les statistiques, la plupart des êtres humains meurent de maladies de l'appareil circulatoire, le cancer se trouvant placé après celles-ci.

Le médecin américain Dr. Howard HAY tomba malade il y a trente ans environ; il souffrait de la maladie rénale de Bright, considérée comme incurable et dont le cours est caractérisé par l'élimination de la protéine. HAY a guéri sa maladie en adaptant sa nourriture aux «lois chimiques de la nutrition». Il atteignit ainsi une guérison complète et regagna par là sa capacité de travail. Il reconnut que les raisons conduisant à une maladie interne résident essentiellement dans la composition fausse de la nourriture.

C'est pourquoi la constitution de l'alimentation décrite ci-après ne doit pas être considérée en tant que régime diététique mais bien comme une alimentation normale car elle doit être pratiquée durant la vie entière. Elle n'est autre chose que la nourriture habituelle consommée précédemment, en procédant toutefois ici à la séparation de la protéine et des hydrates de carbone (à savoir des deux principaux produits alimentaires) d'où la désignation «Alimentation Dissociée». Celle-ci constitue non seulement une nourriture de base pour les malades mais aussi une mesure préventive destinée aux êtres humains bien portants, et ceci constitue, en effet, sa valeur essentielle. Celui qui estime que sa propre efficience laisse à désirer devrait se rendre compte des avantages de cette nouvelle nutrition afin de pouvoir accroître par là son efficience et acquérir ainsi une plus grande joie de vivre. Pensez-y.

L'AGE DE L'ETRE HUMAIN N'EST PAS DETERMINE PAR LE NOMBRE D'ANNEES MAIS BIEN PAR SON MODE DE VIE ET DE NOURRITURE

EXTRAIT DU LIVRE DE HAY

«Une nouvelle ère de la santé» *

a) Les causes des maladies internes

Le Colonel Robert McCARRISON, médecin militaire anglais affecté au service d'une station isolée de l'Hymalaya n'a vu pendant les 9 ans qu'il y passa aucun cas de typhlite, ni d'ulcères gastriques ou intestinaux, ni de cholélithiase, de colite, de constipation, de dérangement de la digestion, d'asthme, de goutte, de rhumatisme ou autre maladie engendrée par la civilisation. En raison du dogme religieux, la nourriture des indigènes est limitée aux denrées agricoles, à l'exception du lait et du fromage qu'ils consomment toutefois dans une mesure restreinte; leur alimentation essentielle se compose de noisettes, de légumes, de fruits, de pain complet. (HAY ne dit pas que les indigènes ne sont pas tombés malades mais — ainsi que d'aucuns l'affirment d'ailleurs — que leurs coutumes restreignent les maladies provoquées par de fausses habitudes d'alimentation).

(*) Cet extrait de l'ouvrage original de HAY n'a pas été modifié mais abrégé de manière importante.

HAY dit en outre: Le seul traitement véritable de toutes les maladies est d'en éviter les causes. Ce jugement ne se vulgarisera sans doute jamais parmi les hommes parce que tous ne seront pas aptes à réaliser une conception intellectuelle, mais beaucoup d'entre eux seront heureux de connaître la raison de la lourdeur de leur estomac ou de leur mauvais état de santé et d'être ainsi en mesure de l'empêcher ou d'y remédier. A cet effet il n'est pas nécessaire de renoncer aux réelles joies de l'existence et surtout pas aux plaisirs de la table car la nourriture peut être beaucoup plus délicieuse encore que celle des hôtels les plus renommés si seulement nous comprenons les notions fondamentales de la nutrition et si nous procédons au choix judicieux des aliments servant à la composition exacte de cette dernière.

La nourriture doit être en premier lieu constructive, ensuite agréable et enfin se trouver en harmonie avec les lois de la chimie, comme le disaient déjà les anciens romains: mens sana in corpore sano. A ce sujet il est réconfortant de savoir que nous mourons et renaissons chaque jour cellule par cellule jusqu'à ce que l'ancien corps humain se soit retransformé en un nouveau pouvant être plus ou moins sain, ce qui dépend uniquement de la manière dont nous aurons préparé la régénération. N'oublions jamais que personne ne pourra digérer à notre place ce que nous mangerons. Ce n'est donc que par toi-même que tu pourras rester en bonne santé, ce qui signifie être exempt de fatigabilité rapide, de maladie, de tristesse et de tout autre déséquilibre de l'état de santé.

Combien l'être humain civilisé est-il éloigné d'une pleine santé! HAY dit à cet effet: N'est-il pas étrange qu'en Amérique 200.000 nourrissons n'atteignent jamais l'âge de 2 ans révolus, que 400.000 enfants meurent avant l'âge de 10 ans révolus et que 75% du nombre des enfants américains souffrent d'affections maladives plus ou moins importantes? 75% des enfants fréquentant les écoles rurales ou urbaines souffrent de troubles affectant leur santé.

Il semble que nous (les américains) soyons un peuple doué et civilisé, riche, instruit, progressif dans le domaine des arts et du commerce, à savoir dans une telle mesure que nous annonçons au monde entier que nous sommes le peuple le plus éclairé sur terre et nous enregistrons cependant le plus grand taux de mortalité infantile de toutes les nations civilisées sur terre et la mortalité de nos mères est plus importante que dans n'importe quel autre pays. Et pourtant chaque enfant normal au moment de sa naissance peut se développer de manière à devenir un adulte sain à condition qu'il soit nourri de manière judicieuse après sa naissance.

C'est la nourriture qui déterminera dans une large mesure l'état de santé de l'enfant après sa naissance, qui fera mourir l'être humain prématurément ou à un âge avancé. Davantage de troubles carentiels se manifestant chez l'enfant dépendent de son alimentation désordonnée, à savoir de:

1) suralimentation et de composition déplorable de la nourriture

2) l'apport d'amidon et de sucre avant que l'enfant ne fasse ses dents que de cause d'autre nature. Il en résulte le déséquilibre de la nourriture et des troubles aussi bien de surabondance que carentiels. La civilisation a modifié, raffiné, conservé, faussé les aliments de telle sorte qu'une quantité minime seulement du contenu naturel de la nourriture subsiste encore; c'est ainsi qu'au milieu de la profusion nous souffrons souvent d'un manque, de famine alors qu'autour de nous règne l'opulence.

Il est incontestable que la maladie attaque seulement les tissus imparfaits et que le cancer n'apparaît jamais dans les tissus sains. Il en est de même des autres maladies car le corps humain résistant est moins exposé aux infections, il ne dégénère pas dans le domaine reconstituant ou fonctionnel. Le corps humain sain dégénère seulement lorsqu'il ne peut plus faire face au flot croissant de ses résidus corporels, aux produits acides finals de la digestion ni aux substances de poison. Une certaine quantité de ces produits acides finals résulte de la décomposition des cellules mortes, dont les résidus sont empreints d'un caractère acide.

Des résidus d'une quantité plus importante proviennent

de la consommation d'une trop grande quantité de protéine. L'Américain consomme, en général, dix fois plus de protéine par jour que la quantité requise à la reconstitution de l'organisme humain. La protéine est un trop mauvais combustible pour en extraire de la force et elle est onéreuse à tous les égards. Si nous consommons donc davantage de protéine que la quantité nécessaire qu'advient-il alors de sa partie excédentaire? Si notre activité physique est insuffisante, les résidus de protéine ne peuvent être brûlés intégralement. Ils demeurent à demi brûlés dans le corps humain, s'accumulent essentiellement en sels uriques qui se convertissent en acide urique, xanthine, hypoxanthine, créatine, créatinine, entre autres, donc en acides, en résidus accablant nos fonctions psycho-corporelles. En effet, l'excès de protéine constitue la cause primordiale de la maladie prématurée. Les êtres humains exerçant une activité physique maîtrisent plus facilement ces résidus que les personnes travaillant en position assise.

Une autre cause de nos maladies réside effectivement dans la consommation trop grande d'aliments raffinés et dénaturés tels que la farine blanche, le sucre blanc, tous les genres d'amidon et de sucre raffinés. Ce sont des acidifiants au plus haut degré car leur combustion dépose de l'acide carbonique dans le sang. Mais leurs résidus présentent un caractère moins nocif ou moins intoxicant que le groupe des substances de protéine. Leur danger essentiel résulte du fait qu'ils ne déposent pas suffisamment d'éléments basiques dans le corps humain et qu'ils entraînent ainsi l'état acidique.

La troisième cause des maladies prématurées provient de la négligence des lois de la chimie réglant la digestion de la nourriture. Si ces lois étaient respectées lors du choix et surtout à la composition de la nourriture, le corps humain subirait alors une telle régénération au cours de quelques semaines que même les personnes les plus sceptiques emporteraient la conviction que notre état de santé dépend de notre nourriture.

Le chimiste sait que la digestion de l'amidon requiert d'abord de la salive. Mais l'action de celle-ci dépend d'un faible ferment — de la ptyaline — qui elle ne peut produire son effet que lorsque des bases sont disponibles dans une mesure suffisante. Sans le fondement de bases, l'effet de la ptyaline ne se produira pas sur la nourriture constituée d'hydrates de carbone. En mangeant donc le pain contenant de l'amidon ou les pommes de terre cuites en même temps que des fruits surs, l'on élimine alors les conditions alcalines préliminaires dont dépend la ptyaline qui ne peut de ce fait excercer sa fonction et l'amidon non digéré se dépose ensuite dans l'estomac. Mais ce dernier ne contient pas de ferment pouvant agir sur l'amidon; celui-ci subsiste donc à l'état non digéré et arrive ainsi directement dans l'intestin grêle où ne se trouve à nouveau aucun moyen suffisant à la digestion de l'amidon qui y fermente ensuite dans la chaleur et l'humidité.

La digestion des aliments contenant de la protéine — tels que la viande, le poisson, les oeufs et le fromage — dépend en premier lieu de l'action de la pepsine dans le jus gastrique. Vu que la pepsine ne travaille qu'en présence de l'acide, nous agissons donc à l'encontre des lois chimiques lorsqu'au cours d'un repas constitué de substances de protéine nous mangeons également de purs hydrates de carbone, car les farines d'amidons appellent des bases et les substances de protéine requièrent des acides. Or, l'estomac ne peut développer simultanément ces deux éléments, car aucun liquide ne peut être à la fois sur et basique de même qu'une chambre ne peut être claire et sombre en même temps. Si notre corps humain ne disposait pas en outre de réserves alcalines afin de lier les acides qui se constituent, nous ne vivrions pas assez longtemps pour faire notre testament. L'acide est intolérable dans le corps humain et lorsqu'elle se constitue il faut que les cellules et les tissus disposent toujours de bases libres afin de pouvoir la lier car sinon nous subissons de graves lésions. C'est pourquoi il est permis de dire que l'activité fonctionnelle évolue en proportion exacte de notre réserve alcaline. Tout ce qui épuisera notre réserve de bases épuisera également notre activité fonctionnelle, ce qui — en termes concrets — signifie notre santé. En effet, moins nous constituerons d'acides, moins grande sera la quantité de bases à prélever sur la réserve et de manière d'autant plus parfaite s'exerceront les fonctions de notre corps.

La proportion exacte de la nourriture acidifiante par rapport à la nourriture basigène est de 2 à 8, c'est-à-dire qu'un cinquième seulement de la quantité de nos aliments journaliers devrait comprendre du pain, de l'amidon, de la viande, des oeufs, du fromage etc., et pourtant l'on mange journellement de manière contraire. La nourriture concentrée est prépondérante sur la plupart des tables aussi bien dans les ménages que dans les hôtels; quatre cinquièmes de la nourriture journalière devraient être composés de substances basigènes, à savoir de légumes, de salades, de fruits frais etc. Ceux-ci peuvent être consommés soit avec du lait ou du babeurre parce que le lait ne constitue ni des acides ni des bases. Mais il est incompatible avec les aliments concentrés et doit donc être consommé seulement avec des salades et des fruits basigénes[1].

L'habitude selon laquelle la plupart des pédiatres prescrivent l'alimentation composée de farine d'amidon avant que toutes les dents du nourrisson ne soient apparues, constitue l'une des causes essentielles des dyspepsies fermentatives dont souffrent fréquemment les enfants. Les crises biliaires, l'anorexie, les aigreurs, les éruptions cutanées, l'éréthisme, l'énurésie nocturne sont des symptômes de la constitution prématurée de l'acide. C'est ainsi que durant sa croissance l'enfant souffre déjà d'acidose à l'âge de deux ans.

Ajouter du jus d'orange à la nourriture des nourrissons alimentés au sein est une sage mesure préventive, car en raison des coutumes d'alimentation, imparfaites en général, peu de mères seulement disposent de lait présentant les éléments requis.

Le lait de chèvre est très gras c'est pourquoi il est nécessaire de le diluer par l'adjonction d'une quantité d'eau de 50%. Il ne faut donc pas y ajouter de la crème ou du sucre

---

[1] HAY n'autorise pas le lait aux repas concentrés parce que celui-ci est déjà, à lui seul, difficilement digestible.

de lait. La préférence sera donnée au lait de chèvre parce que, en général, cette dernière n'est pas sujette aux nombreuses maladies constatées chez la vache.

Lorsque l'enfant est âgé de six mois l'on peut ajouter des légumes en purée à sa nourriture, à savoir, par exemple: épinard, navet, betterave, carotte, céleri et même du chou blanc. Cette purée de légumes doit lui être donnée à raison de petites quantités; si l'enfant la digère bien l'on en augmentera la quantité jusqu'à une ou deux cuillères à soupe par jour, c'est-à-dire dans la proportion répondant à la croissance de l'enfant et selon laquelle l'on augmentera la quantité de lait. L'on y ajoutera de la même façon des fruits de différents genres, tels que des tomates mûres crues qui sont de même qualité que le jus d'orange. Des pommes pelées peuvent être données assez tôt, peut-être au même moment que la purée de légumes, mais il faut recourir au jus d'orange essentiellement en raison de ses vitamines hydrosolubles indispensables à la croissance et au développement de l'enfant. Une cuillère à café de jus d'orange au moins — ou même davantage — doit être donné à l'enfant avant chaque repas. Presque chaque nourrisson semble disposer d'un besoin naturel de jus d'orange.

Par ailleurs, il ne faut pas négliger le bain de soleil. L'on peut le donner tous les jours. En cas de temps froid, le petit enfant, chaudement habillé, doit également dormir à l'air et au soleil. Tout ce qui est salutaire à l'adulte l'est également à l'enfant de plus de deux ans car le besoin de ces deux êtres humains sont identiques.

Lorsque l'on commencera à se conformer aux règles de l'alimentation dissociée à l'âge de l'adulte, l'on enregistrera d'abord une perte de poids du fait que le corps humain sera épuré des excédents d'acide précédents. Mais ceci ne constitue qu'une mesure rectificative que subira le corps avant que puisse intervenir une amélioration de son état. Le résultat final se traduira par une augmentation du poids lorsque celui-ci sera insuffisant et par une perte de poids en cas d'excès pondéral. La tendance du corps humain, lorsque l'excédent d'acide en est éliminé et que la fonction organique se normalise, vise toujours l'état normal. Ceci est d'ailleurs un désir ardent manifesté par les personnes maigres et les personnes obèses; en effet, ces deux états respectifs du corps humain indiquent que celui-ci présente des conditions chimiques anormales.

Lorsque la lumière du soleil nous paraîtra plus claire, le chant des oiseaux plus mélodieux et que la journée s'écoulera sans nous apporter les malaises habituels, lorsque la précédente fatigabilité s'effacera c'est alors que nous serons sur la bonne voie.

b) Répercussion de la nourriture sur les facultés intellectuelles

Selon HAY le cerveau est le grand centre de réflexes duquel irradient les nerfs contrôlant les mouvements volontaires et la sensibilité consciente. Vu que l'arrosage de sang cérébral et l'oxygénation cérébrale dépendent du corps humain, ils sont par conséquent tributaires également de ce que nous mangeons, car la qualité de notre sang est déterminée par notre nourriture. Lorsque le sang est accablé d'acide il ne peut certes engendrer une puissance fonctionnelle maximale. L'acidose peut influencer le cerveau de telle manière à entraver la pensée claire et — ainsi que nous le constatons souvent — des états de somnolence résultent en général de symptômes d'intoxication chroniques. Les indices de l'affaiblissement cérébral sont les suivants: la lente pensée, la faible puissance de jugement, les dysmnésies, la faiblesse de concentration et cette dernière est, en effet, l'une des caractéristiques les plus symptomatiques. HAY le sait en raison de sa propre expérience et par d'autres personnes qui ont pu récupérer, à un âge avancé, leur vigueur physique et intellectuelle par suite de l'adaptation de leur alimentation aux données indiquées ici.

L'un des cas les plus frappants est celui du Dr. Rob. G. JACKSON de Toronto, Ontario, qui souffrait de cirrhose rénale, à l'âge de 49 ans, et en outre d'hypertension, d'artériostéogenèse, de glaucome, d'hémorragie au fond d'un oeil qui lui fit perdre la vue, de névrite et d'arthrite qui le rendirent estropié pendant cinq ans. Il suivit la voie indiquée de l'alimentation et sa santé s'améliora d'année en année. A l'âge de 75 ans il se retrouva encore en bonne forme, redevint musculeux et put marcher 10 lieues par jour en se tenant droit comme un soldat et non courbé comme autrefois et il recouvra à nouveau une vue parfaite. L'histoire du Prof. JACKSON — exerçant son activité à une université de Philadelphie — est particulièrement remarquable parce qu'il était issu d'une famille dont le membre le plus âgé n'atteignit que l'âge de 43 ans alors que tous les autres moururent de la même maladie que celle dont fut atteint le Professeur JACKSON.

Les personnes exerçant une activité intellectuelle tiendront compte essentiellement de l'efficacité de l'alimentation dissociée quant à leurs études et à leur propre efficience. Des coutumes d'alimentation réformées ne doivent pas être qualifiées de régime diététique mais être considérées comme une nourriture convenable, adaptée à la nature. Le cerveau participe également à la désacidification du corps humain. Le cerveau participe également à la désacidification du corps humain. En effet, l'efficience intellectuelle s'accroît et le caractère humain s'ennoblit également. Lorsque le corps humain a éliminé ses excédents acides après une durée de jeûne assez longue, l'esprit devient si vif que les pensées sont empreintes de la plus grande clarté et que la subconscience discerne presque l'invisible. Quelques-unes des plus grandes actions intellectuelles ont été accomplies durant une longue période de jeûne et à l'issue de celle-ci un degré élevé d'efficience intellectuelle a été observé sur une longue durée. En réalité, nos capacités intellectuelles se manifestent dans une mesure restreinte seulement avant que le cerveau ne soit arrosé d'un courant sanguin pur.

Les anciens philosophes grecs enseignèrent d'abord la diète absolue à leurs disciples et ils pratiquèrent une abstinence tellement rigoureuse que se précise par là l'importance qu'ils attachèrent à ces mesures quant à leur philosophie. EPICURE, SOCRATE, PLATON et bien d'autres attribuèrent une très grande importance à une condition fondamentale de leur philosophie et ils mirent à l'épreuve ce qu'ils enseignèrent.

Lorsque le corps humain s'est épuré de la scorification qui l'accablait autrefois, l'esprit accède à un niveau élevé et à une clarté jamais connus auparavant et un monde nouveau semble s'épanouir aux yeux de l'être humain maintenant heureux. La plupart des choses précieuses de la vie, transportées par des êtres humains à un niveau intellectuel élevé, et qui subsistèrent en tant que valeurs importantes durant des siècles, ont été accomplies par des hommes préférant leur propre oeuvre aux plaisirs vaniteux. L'on ne trouvera aucun être débauché parmi ces illustres personnages car la débauche et la pensée claire sont des éléments incompatibles.

La nourriture devrait constituer une science, à savoir la plus importante de toutes. Tant de facteurs en dépendent pour sauvegarder l'efficience, la santé, le bonheur et l'accomplissement de toutes choses que l'alimentation ordonnée devrait être adoptée le plus tôt possible.

c) La grande maladie de l'Amérique

D'après HAY, «L'Amérique souffre d'une grande maladie», non seulement parce que celle-ci se propage presque partout mais aussi parce que ses répercussions sont énormes. Elle coûte à l'Amérique davantage d'argent que la guerre mondiale. Elle provoque l'insatisfaction et elle conduit à tous les genres de maladies. Elle réduit l'énergie de la nation entière, elle trouble les divers projets personnels et nationaux et pourtant elle n'est pas reconnue, elle ne subit aucune entrave et, la plupart du temps, elle passe même inaperçue. Si cet état de choses présentait le caractère d'une épidémie il serait soumis à la mise en quarantaine et si l'on pouvait y faire face par des opérations chirurgicales ou par des médicaments, de grands efforts seraient entrepris afin d'éliminer ce spectre qui est la fatigue aussi bien de l'individu que de la collectivité.

Il existe deux genres de fatigues: l'une à caractère physiologique, l'autre à caractère pathologique. L'une est le résultat naturel d'efforts intellectuels ou physiques et constitue le signal d'alarme émis par la nature indiquant que le corps humain a consommé suffisamment d'énergie et requiert du repos; l'autre — de nature pathologique — est une maladie telle que la variole ou la tuberculose. Elle n'est pas engendrée par l'effort parce que nous la ressentons constamment. Afin de prouver que cette fatigue pathologique résulte de l'auto-intoxication et qu'elle est curable, HAY procéda, avec 18 hommes âgés de 28 à 55 ans, à l'essai d'ordonner seulement leur nourriture en les laissant consommer, par ailleurs, leurs aliments habituels. En tant qu'épreuve standard de l'accroissement de leur efficience l'on contrôla le nombre de leurs flexions des genoux, c'est-à-dire le nombre de mouvements accomplis pour se mettre debout en partant de l'accroupissement. La seule condition à respecter était la suivante: les personnes participant à l'essai devaient exécuter leurs flexions des genoux aux temps de contrôles seulement. La première semaine eut pour résultat une amélioration de 50% de leur efficience et qui s'eleva à 165% à la fin de la quatrième semaine. C'est ainsi que fut apportée la preuve de l'effet direct exercé par la nourriture ordonnée sur l'endurance car cet accroissement extraordinaire des forces s'explique effectivement par l'auto-désintoxication du corps humain uniquement.

Certains de ces hommes conservèrent ces habitudes d'alimentation et en raison de l'accroissement de leur efficience au travail, ils purent améliorer leur situation pécuniaire. Ils constatèrent donc que l'alimentation ordonnée rapporte des dividendes plus élevés que n'importe quelle autre affaire.

Si notre faculté de médecine enseignait cette méthode de nourriture l'on aboutirait à un résultat idéal. Aussi longtemps que les études de médecine traiteront seulement de la pathologie — à savoir de la détection de la maladie — la science traitera donc davantage des symptômes que des causes d'une maladie. Dans le cas contraire, un grand nombre d'appareils diagnostiques onéreux utilisés dans les cliniques perdraient leur caractère d'importance prépondérante.

Mais l'essentiel est de surveiller l'ampleur de l'accumulation des résidus d'acide dans le corps humain et de constater la mesure dans laquelle ce dernier s'est éloigné ainsi de l'efficience normale. Les malades souffrant d'asthme ou de tuberculose ne devront plus se rendre alors dans des zones plus sèches et à haute altitude parce que leur guérison est une question de désintoxication scrupuleuse et de rectification de la nourriture laquelle limitera la constitution de produits acides finals.

L'adaptation à l'Alimentation Dissociée devrait commencer chez le petit enfant; j'ai vu de nombreux enfants corriger les coutumes d'alimentation de leurs parents. Le calcium, le silicate, le fluor sont des éléments faisant défaut dans la farine raffinée et pourtant ils sont des éléments faisant défaut dans la farine raffinée et pourtant ils sont d'importance primordiale pour les dents. Lorsque la demande se concentrera davantage sur le pain complet ou le pain de Graham et les aliments non dénaturés, les hôtels et l'industrie alimentaire s'adapteront à cette nouvelle orientation du goût des consommateurs. A l'hôtel, par exemple, chacun peut procéder à la dissociation des aliments en appliquant les règles de l'Alimentation Dissociée.

Lorsque l'être humain se nourrit en appliquant les lois chimiques de la nature il n'a pas à craindre la maladie. En effet, selon HAY, la crainte n'est autre chose que, simultanément, cause et résultat de la maladie. La crainte peut paralyser toutes les fonctions organiques de même que la maladie peut engendrer la crainte.

La crainte est une cause psychologique de la maladie. Elle en est encore plus souvent le résultat parce que tout genre de maladie, grave ou non, peut engendrer la crainte liée aux conséquences qui en résulteront. Un médecin ayant écouté pendant 42 ans les plus petits détails que lui confièrent ses malades ne doute plus de ce que les pensées concernant la maladie et les déviations de la santé constituent un facteur important enregistré par le cerveau des êtres humains.

La crainte plane, telle l'épée de Damoclès, sur l'homme parce qu'elle est engendrée par l'interprétation erronée de certaines choses; car tout ce que nous ne comprenons pas nous le craignons. La crainte peut faire pâlir instantanément les joues et faire grisonner les cheveux pendant une nuit.

La crainte persistante peut de même exercer un effet accumulant et troublant sur toutes les fonctions de l'organisme humain. Il est exact de dire que la seule chose à craindre est la crainte elle-même; mais il n'est malheureusement que trop vrai que notre peur est justifiée lorsque nous pensons à l'intoxication quotidienne de notre corps.

Combien plus grande sera l'efficience de l'être humain lorsqu'il pourra avoir une confiance absolue en lui-même et ses aptitudes. Vivre dans la crainte signifie vivre dans un état inhibiteur mais dont on ne se rendra pleinement compte que lorsqu'il aura été éliminé.

En effet, nous apprenons à supporter la douleur physique de manière à presque l'oublier; c'est seulement lorsque nous en sommes délivrés que nous concevons les inhibitions qu'elle nous a causées. Lorsque nous sommes malades et fatigués nous craignons tout ce qui semble nous menacer et notre efficience, notre plaisir au travail, notre joie de vivre en souffrent car, alors, la saveur de la vie nous fait défaut. Mais lorsque les fonctions de notre organisme sont normales, nous éprouvons la joie de vivre, nous sommes actifs, habiles, nous prenons facilement et rapidement nos décisions et nous sommes à même de cueillir des lauriers.

«La guérison de la crainte ne tient qu'à toi seul et à ta manière de vivre». En considération de ces faits, que devons-nous essentiellement à nos enfants qui sont les héritiers de nos dispositions physiques. Chaque homme et chaque femme qui essayeront de fonder une famille sans disposer eux-mêmes de bonnes bases physiques ne favoriseront pas le développement de la future génération; ils créeront peut-être à leurs enfants un handicap qui pourra absorber durant leur vie entière leur meilleure force vitale. L'héritage d'une parfaite résistance physique est plus précieux à un enfant que l'héritage d'un million. Nos facteurs héréditaires déterminent dans une large mesure le siège de nos différentes maladies mais notre maladie effective est notre propre affaire.

Certaines maladies règnent en tant que «maladies de famille»; elles visent essentiellement les organes les moins efficients. Des coutumes d'alimentation uniformes dans la famille constituent un facteur essentiel lié à de tels organes peu efficients. Aussi diverses que soient nos maladies, que nous les ayons héritées ou acquises par nous-mêmes, il ne faut pas oublier qu'elles n'ont somme toute qu'une seule cause qui doit être éliminée avant que nous ne puissions recouvrer la santé. Lorsqu'il nous paraîtra évident que nous devrons, à un certain moment, expier d'une manière quelconque le fait de n'avoir pas respecté les lois de la nature, nous veillerons de façon plus rigoureuse à ne pas commettre d'infraction à ces dernières car elles produiront un effet plus impitoyable sur celui qui les aura violées que ne le pourront la plupart des lois créées par les hommes.
En effet, la nature ne frappe pas d'une amende l'infraction commise mais chaque être humain doit à coup sûr expier la peine avec son propre corps. Le rôle de la médecine en général et de la chirurgie en particulier, à l'heure actuelle, se borne à verrouiller la porte de l'étable après que l'enlèvement du cheval a eu lieu. En d'autres termes: n'est-il pas plus judicieux d'empêcher une maladie, comme le vol du cheval?
Qu'il soit tenu compte encore d'une règle inhérente au sport. Chaque genre de sport exercé jusqu'au stade de la fatigue est salutaire. Le sport aboutissant à l'excès de fatigue est nuisible parce qu'il aggrave notre état d'intoxication en engendrant davantage de résidus d'acide dans le corps humain déjà accablé de ces substances. Le travail, le sport, le jeu et le repos nous sont nécessaires parce qu'ils contribuent les uns et les autres à la pureté constante de notre organisme afin que nous puissions jouir de toutes ces choses. Les systèmes de forces les plus brillants sont basés sur le principe suivant: endurcir les forces par l'accroissement progressif du sport en empêchant l'excès de fatigue, à savoir de manière analogue à Milo — personnage de la mythologie grecque — qui aurait fait quotidiennement le tour du stade d'Athènes en portant un petit veau. L'aptitude de Milo à le porter s'accrût simultanément avec la croissance du veau et lorsque ce-

lui-ci fut devenu un taureau, Milo fut encore capable de le porter en faisant le tour du stade.

Celui qui requiert des haltères afin d'exercer le sport doit toujours adapter ses performances à la moitié ou, au maximum, aux deux tiers de ses aptitudes. C'est ainsi que ses forces et son endurance s'accroîtront. La nature n'accorde pas de privilèges à certains de ses enfants, elle les traite de manière uniforme. La différence de l'état de santé ressenti par les uns et les autres est liée à leur propre culpabilité. En effet, nous sommes perdus, lorsque nous croyons à notre échec; nous constituons alors une entrave à l'égard de ceux qui occuperaient plus facilement nos places et il est de notre intérêt de considérer que ce fait résulte de notre propre culpabilité, de veiller à tirer le meilleur parti d'un mauvais héritage et de lutter afin d'aboutir à une amélioration de notre situation.

Personne ne peut manger pour nous, digérer à notre place, personne d'autre que nous-mêmes ne peut absorber, assimiler et transformer notre nourriture, éliminer les déchets; c'est pourquoi la régénération quotidienne ne tient qu'à nous seuls et à nul autre être au monde. Elle est donc un fait contrôlable par nous-mêmes et personne d'autre que nous-mêmes est coupable quand notre état de santé laisse à désirer. L'harmonie du corps et de l'esprit constitue le seul moyen de l'évolution psychique.

Si le lecteur a pu délier ses pensées des conceptions traditionnelles et s'il a assimilé l'enseignement de la régénération il est alors également apte à appliquer les instructions de cette brochure.

Selon ma propre expérience, la dissociation des substances de protéine et des hydrates de carbone a conduit à d'excellents résultats.

A la lumière des constatations actuelles dans le domaine de la physiologie et de la médecine il serait éventuellement nécessaire de réexaminer la question de savoir si la déclaration de HAY au sujet de l'efficacité de son Alimentation Dissociée ne pourrait être attribuée, par ailleurs, à l'heure actuelle à d'autres facteurs (nourriture riche en fibres, effet stimulant lié à l'insuline) empreints également d'une importance primordiale.

L'ALIMENTATION SELON HAY

(L'Alimentation Dissociée d'après HAY)

Dans ses «Constatations de la chimie du corps humain», HAY met en évidence la notion de l'acidose. Il indique quatre raisons essentielles étant à l'origine de cette dernière et conduisant à l'affectabilité aux maladies, à savoir:

1) la consommation d'aliments dénaturés;
2) la consommation de quantités trop grandes de protéine et de farine d'amidon concentrées;
3) le retardement de la digestion;
4) la conjugaison fausse des aliments.

1) La consommation d'aliments dénaturés:

Par aliments dénaturés l'on entend, par exemple, les aliments stérilisés et raffinés tels que la farine blanche, le sucre blanc, le pain blanc, les nouilles de farine blanche, le riz poli.

Le médecin STINER pratiqua des essais sur la nourriture de cochons d'Inde en leur donnant leur alimentation habituelle (foin, carottes, avoine, eau) qu'il soumit toutefois à la cuisson. Il en résulta de graves maladies aboutissant à la mort, à savoir: scorbut, goître, anémie, saprodontie, ramollissement des dents de manière à pouvoir les couper aux ciseaux, déformation de la mâchoire, dégénération des glandes salivaires, cancer aux poumons qui envahit certains de ces animaux. Des singes ayant absorbé de la nourriture cuite périrent également par suite d'un état maladif grave. 30% des animaux expérimentaux périrent d'ulcères gastriques et de duodénite. Lorsque des rats absorbent de la farine blanche et de l'eau ils périssent rapidement, mais en consommant la nourriture composée de farine de grain complet et d'eau ils se développent et restent en vie. De graves lésions de la santé se manifestent lorsque l'on ne consomme pas le grain entier des céréales mais que le son sert de nourriture aux animaux et que l'on mange essentiellement de la farine blanche ou du riz épluché. Des centaines de milliers d'êtres humains meurent du béribéri en Asie, la population de l'Extrême-Orient mange surtout du riz. Lorsque l'on jette la pellicule argentée du riz, à savoir la vitamine B, il en résulte la maladie avec des dérangements de la digestion, des douleurs névralgiques, de la faiblesse accrue, de la paralysie et même, en cas d'hydropisie, un lent état maladif et enfin la mort.

2) La consommation de quantités trop grandes de protéine et d'hydrates de carbone est contraire à la composition chimique de la crase. [1] D'après HAY, 80% du corps humain se composent d'éléments basigènes et 20% d'éléments acidifiants. Afin de sauvegarder l'équilibre requis pour la santé des cellules organiques et de la sécrétion, les proportions à respecter pour la nourriture quotidienne doivent être environ les suivantes:

80% d'éléments basigènes

et

20% d'éléments acidifiants.

Par éléments basigènes l'on entend les fruits et les légu-

---

[1] La crase sanguine est la possibilité pour l'organisme d'arrêter les hémorragies. Elle doit rester normale.

mes. La majeure partie de ceux-ci doit être consommée à l'état cru parce que le corps humain bénéficiera seulement ainsi des substances protectrices indispensables. En consommant uniquement des aliments cuits, le besoin de nourriture de l'être humain augmente constamment parce que, en raison de la destruction du précieux matériel de construction nécessaire au corps humain, celui-ci réclame sans cesse davantage de nourriture. Il subsiste, de ce fait une constante sensation de faim et l'être humain s'adonne à la gloutonnerie. Trois repas quotidiens ne lui suffisent plus il lui en faut six.

L'excès de protéine mène à la constitution de l'acide urique qui se dépose dans le corps humain, à savoir dans les articulations et dans les tissus maladifs ou sensibilisés de manière allergique, ce qui peut engendrer le rhumatisme ou la goutte.

Lorsque l'on mange des farines d'amidon concentrées, c'est-à-dire du pain, une différence importante existe entre le pain blanc et le pain complet. Une quantité cinq à dix fois plus grande de pain blanc que de pain complet doit être consommée pour que l'on soit rassasié (le grain complet doit être mâché davantage et de manière plus intense), par contre, la consommation d'une petite quantité seulement de pain complet est suffisante et celui-ci approvisionne, en outre, le corps humain de toutes les substances protectrices émanant du grain de céréale complet. Les hydrates de carbone constituent les carburants du corps humain, le bois destiné au poêle. Mais une quantité excédentaire de ces derniers peut également éteindre le feu. C'est donc seulement l'être humain exerçant une activité essentiellement physique qui requiert beaucoup de carburants, donc aussi davantage d'hydrates de carbone.

3) La digestion normale dure 24 heures, celle retardée peut durer 72 heures. Lorsque toutes les substances animant l'intestin — à savoir, par exemple, les légumes crus et les produits de grain complet — font défaut dans la nourriture, l'intestin ne doit faire aucun effort particulier parce que la tendre masse pulpeuse de la digestion ne le gêne pas; il devient paresseux et le chyme demeure plus longtemps dans la paroi intestinale où il fermente.

4) Le système de nourriture généralement pratiqué est contraire à la chimie du corps humain et bouleverse la digestion en raison du mélange de la protéine et des hydrates de carbone au cours d'un repas. En effet, la protéine et les fruits surs requièrent une solution d'acide, l'amidon et le sucre appellent une solution de bases à la digestion. C'est pourquoi la protéine et les hydrates de carbone ne doivent pas être consommés simultanément au cours d'un repas. L'éructation sure et la lourdeur de l'estomac sont les conséquences de ces repas négligeant cette dissociation. La digestion de l'amidon commence déjà dans la bouche moyennant la ptyaline de la salive. La digestion des substances de protéine commence dans l'estomac par suite de la pepsine à base d'acide. Lorsque l'on consomme ensemble des substances de protéine et des hydrates de carbone il en résulte toujours une digestion insuffisante des farines d'amidon qui fermentent alors dans l'intestin par suite de la chaleur et de l'humidité. C'est pourquoi il est très important de dissocier la protéine et les hydrates de carbone au cours d'un repas. L'on consommera donc les substances de protéine avec des légumes à midi et la farine d'amidon avec des légumes le soir. J'ai publié cette méthode de HAY dans le «MUNCHENER MEDIZINISCHE WOCHENSCHRIFT» 1951, page 40.

L'exactitude de cet ordre d'idées fut confirmée à HAY par des milliers de malades. Il recouvra lui-même la santé par l'application de ces lois.

Le tableau ci-après (REIN-STEPP) permet de constater que la nature a créé de manière caractéristique à chacun de leur groupe les aliments concentrés tels que la protéine et les hydrates de carbone, à savoir en tant que nourriture constituée ou bien de protéine ou de manière prépondérante d'hydrates de carbone. C'est dans ce sens que HAY a procédé à la dissociation des aliments et le tableau en question (pages 46/47) indique celle à pratiquer selon son système. Ce tableau constitue d'ailleurs la base des menus et recettes culinaires décrits dans ce livre.

De nombreux aliments contiennent, en effet, de la protéine et des hydrates de carbone — cf. tableau REIN-STEPP, pages 50/51 —.

La viande ne contient pas d'hydrates de carbone, les céréales contiennent essentiellement des hydrates de carbone. Dans son tableau, HAY a procédé à la classification des aliments en se conformant à leur contenu prédominant et c'est ainsi qu'il a abouti à la dissociation des aliments extrêmement concentrés.

LA CONSTITUTION DE L'ALIMENTATION D'APRES HAY

Adaptée par le Dr. Ludwing WALB

NE MELANGEZ PAS

MELANGEZ — MELANGEZ

Aliments concentrés	ALIMENTS NEUTRES	Aliments concentrés
HYDRATES DE CARBONE (Amidon, sucre)	1) Graisses	1) Essentiellement protéine
1) Essentiellement amidon	Huiles et graisses végétales, graisses animales	Viande, gibier
Céréales de grain complet	Lard gras	Poisson frais
Farine de grain complet	Beurre, crème	Lait de tous genres
Pain complet	fromage frais	Fromage (jusqu'à 55% e matières grasses)
Nouilles à farine de grain complet	Fromages à partir de 60% de matières grasses	Oeufs, farine de soja
Riz non poli, bananes	Jaune d'oeuf	2) Fruits surs
Pommes de terre	Olives mûres	Fruits à pépins et à noyaux
Topinambour	2) Légumes	Baies, raisins de corinthe
Chou vert, Salsifis	Salades vertes, carottes	Agrumes, Grenades,
	Betteraves	
	Oignons, poireaux	
	Chou-fleur, asperges	
	Haricots, petits pois verts, Bette, epinard,	
	Raifort, radis	
	Céleri, chou-rave	
	Chou frisé, chou rouge	
	Chou blanc, choucroute	
	Courge, concombre	
	Cornichons, choux de Bruxelles	
	Tomates crues	
	Cosse de paprika	

2) Essentiellement sucré

Miel d'abeilles
Dattes, Figues
Sucre non raffiné
Sirop de betteraves

NON RECOMMANDES

1) Amidon

Farine blanche, pain blanc, nouilles à farine blanche, riz poli, tapioca, légumineuses sèches, cacahuètes, marrons

2) Sucre

Sucre blanc, sucreries au sucre blanc, confitures, gelées, conserves

Fenouil, chicorée
Champignons

3) Autres aliments

Myrtilles (sans sucre) raisins secs

Agar agar, gélatine
Noisettes exceptés cacahuètes et marrons

4) Epices

Herbes potagères et sauvages, basilic au lieu de poivre, sel aux herbes fines et sel de céleri

Sel marin, ail
Paprika, muscade
Curry

NON RECOMMANDES

Légumineuses sèches, mayonnaises, soupes et sauces commercialisées
Thé noir, café, cacao, gingembre
Poivre, moutarde
Conserves
Essence de vinaigre

Ananas
Tomates cuites
Melons sans garniture

NON RECOMMANDES

1) Protéine

Blanc d'oeuf cru
Saucisse grasse

2) Fruits

Rhubarbe
Airelle
Conserves

(lire le commentaire de ce tableau pages suivantes)

COMMENTAIRES

Les aliments neutres figurant dans la colonne centrale susmentionnée s'accordent au cours d'un repas **soit** avec des substances de protéine et des fruits surs **ou** avec des hydrates de carbone, mais il faut éviter de consommer ensemble des substances de protéine et des hydrates de carbone.

30 à 60 gr. de graisse et 60 à 100 gr. de substances de protéine par jour suffisent. 80% de l'alimentation journalière doivent se composer de fruits et de légumes, à savoir en majeure partie d'un régime de crudités. Les personnes exerçant une activité physique et les enfants peuvent manger deux repas concentrés par jour, à savoir un repas à base de protéine à midi et un repas à base d'amidon le soir — ou inversement —. En cas d'activité en position assise, **un** repas concentré par jour est suffisant. Le repas du matin doit être rassasiant mais le plus léger possible; l'on prendra de préférence des fruits frais et des graines de lin avec du lait chaud, du lait caillé ou du babeurre.

Le **lait** ne sera consommé qu'avec de la salade, des fruits surs ou autres constituants basigènes. Les **fruits surs** nécessitent d'abord une digestion à base d'acide avant de devenir basique dans le corps humain.

Au cours d'un repas il faut consommer seulement **un seul** genre de protéine: à savoir de la viande **ou** du poisson **ou bien** seulement un genre d'amidon, donc par exemple des pommes de terre **ou** du pain.

Quant à la **graisse**, la préférence doit être accordée aux graisses et huiles végétales anhydres et déclarées «non saturées, n'ayant subi aucun traitement chimique, ayant conservé leur état naturel et ayant été battues à froid», à savoir esentiellement: huile de lin, huile d'hélianthe, huile d'olive, huile de soja, huile de germe de blé qui doivent être conservées dans des récipients sombres et clos. La teneur de lécithine de l'huile et de la farine de soja empêche la cholestérose. Les graisses durcies, huiles d'arachide ou de poisson ne sont pas recommandées. Le beurre et les graisses végétales doivent être utilisés tels quels ou légèrement fondus, mais non rissolés.

Les **légumes** doivent être étuvés dans leur propre jus. Le chou-fleur et les asperges peuvent être cuits. Leur bouillon servira à la préparation de soupes. L'on ne consommera que deux fois par semaine des épinards et des tomates **cuites**. Des **salades** seront préparées à l'huile, à la crème, aux fines herbes et au citron mais sans ce dernier aux repas à base d'amidon. L'on peut utiliser également le lait caillé au lieu de l'huile, de la crème ou du citron. Des carottes juteuses peuvent être consommées sans sauce.

Les fruits surs seront rendus sucrés à l'aide du **miel d'abeilles**.

Afin de faciliter la digestion de la **viande**, il faut l'étuver dans son propre jus. Après l'avoir légèrement rôtie dans la casserole ouverte, l'on placera le couvercle sur cette dernière et la cuisson s'achèvera au four, à savoir pendant une durée de 20 minutes lorsqu'il s'agira de viande tendre et une durée proportionnellement plus longue en cas d'autre viande. Avant de l'entamer et après l'avoir retirée du four, la viande reposera pendant 1/4 d'heure afin que le jus ne s'en échappe pas à la découpe. Il faut éviter la viande rôtie dans la poêle.

D'après nos expériences, le boudin (sans lard) s'est avéré en tant qu'aliment neutre.

La **choucroute salée** n'est pas recommandée en cas de maladies rénales.

L'eau de vie de grain et le genièvre conviennent à tous les repas. La bière convient aux repas à base d'amidon, le vin non sucré aux repas à base de protéine et aux repas basiques.

Ceux qui ne veulent renoncer au café le dégusteront avec de la crème aux repas à base de protéine et avec de la crème et du sucre aux repas à base d'amidon.

Les dattes, figues et raisins secs traités au soufre et à la paraffine sont nuisibles.

EDITION KARL F. HAUG, HEIDELBERG

COMPOSITION DES ALIMENTS*

(Chimie des aliments d'après REIN-STEPP)

100 g. de l'aliment contiennent en grammes

Aliments	Protéine	Graisse	Hydrates de carbone	Cendre (mineraux)
Viande				
Viande en boîte, grasse	25	19	trace	3,7
Viande de dinde, grasse	14	44	trace	0,7
Viande de poulet, grasse	19	9	trace	0,9
Viande de veau, grasse	19	11	trace	1,0
Viande de boeuf, maigre	21	4	trace	1,1
Viande de porc, grasse	16	34	trace	0,8
Jambon	25	36	trace	10,5
Boudin	14	32	trace	2,7
Saucisson gras	19	41	trace	4,8
Saucisson sec	28	48	trace	6,7
Poissons				
Anguille	12	28	—	0,9
Cabillaud	16	0,3	—	1,3
Brochet	18	0,4	—	1,2
Hareng	20	17	—	14
Oeufs et lait				
Oeufs	14	11	0,6	0,9
Lait	3,4	3,4	4,7	0,75
Crème	3,4	10	4,7	0,75
Babeurre	3,4	0,5	4,7	0,7
Beurre	0,8	84,5	0,5	0,2
Fromage gras	26	30	2,1	4,6
Fromage maigre	38	2	3,0	4,4
Pain et produits à base de farine				
Pain de seigle	6,0	0,8	54	1,2
Pain complet	7,8	1,1	46	1,5
Flocons d'avoine	14	6,7	65	1,9
Nouilles	14	2,4	69	0,8
Riz	8	0,5	77	0,8
Farine de blé	11,8	1,5	71	0,6

(*) Pour certains aliments — par suite de leur composition naturelle — il a fallu recouir à des compromis pour leur classement dans le tableau de HAY. Ces compromis ont été conclus compte tenu de la digestibilité.

COMPOSITION DES ALIMENTS

100 g. de l'aliment contiennent en grammes

Aliments	Protéine	Graisse	Hydrates de carbone	Cendre (mineraux)
Légumes				
Chou fleur	2,5	—	4	0,8
Haricots verts	3	—	6	0,7
Champignons	5	0,2	3	0,8
Chou vert	5	0,9	10	1,6
Concombre non épluché	0,6	—	1	0,5
Carottes	1,0	—	9	0,7
Pommes de terre	2,1	0,1	21	1,1
Chou rave	2,5	trace	6	1,0
Navet	1	trace	7	0,7
Radis	1	trace	4	0,7
Salsifis	1	trace	15	1,0
Asperges épluchées	2	trace	2	0,5
Epinards	2	trace	2	1,9
Bolets frais	5	0,4	4	1,0
Tomates	1	trace	4	0,6
Légumineuses				
Haricots	26	2	47	3
Pois secs	23	2	52	3
Lentilles	26	2	53	3
Farine de soja dégraissée	50	0,3	26	6
Autres aliments				
Miel	0,3	—	80	0,3
Chocolat	7	22	65	1,7
Cacao	22-28	33et plus	—	5,3
Amandes	21	53	14	2,3
Fruits				
Pommes fraiches	0,4	—	14	0,4
Pommes séchées	1	trace	60	1,6
Oranges	0,8	—	14	0,5
Bananes	1	—	23	0,9
Dattes séchées	1,9	0,6	73,3	1,8
Fraises	1	—	9	0,7
Cacahuètes	27,5	44,5	15,6	2,5
Noisettes séchées	17	63	7	2,5
Prunes	0,8	—	17	0,5
Framboises	1	—	8	0,6

REGLES FONDAMENTALES DE L'ALIMENTATION DISSOCIEE D'APRES HAY

Il faut consommer le moins possible de produits à base de protéine et également d'amidon mais beaucoup de fruits et de légumes. Plus de 60 à 100 g. de viande ou produits autres à base de protéine et plus de 30 à 60 g. de graisse par jour sont superflus.

Au cours d'un repas il faut consommer un genre de protéine seulement, à savoir de la viande ou bien du poisson. En cas d'un repas constitué d'hydrates de carbone il ne faut manger qu'un seul genre d'amidon, à savoir des pommes de terre ou bien du pain ou autres produits de farine.

Les légumineuses constituent la preuve selon laquelle la consommation simultanée de protéine et de farine d'amidon est mal supportée et digérée. En effet, le tableau REINSTEPP contient les légumineuses aussi bien dans la rubrique d'amidon que dans celle de protéine et leur digestibilité difficile est généralement connue. C'est pourquoi elles sont éliminées de la majorité des régimes diététiques.

Par ailleurs, il faut éviter la nourriture rôtie dans la poêle.

Les aliments figurant dans la colonne centrale du tableau «CONSTITUTION DE L'ALIMENTATION D'APRES

HAY» présentent un caractère neutre, c'est-à-dire qu'ils peuvent être consommés à chaque repas constitué soit de substances de protéine ou d'hydrates de carbone.

Répétons que la dissociation de la protéine et des hydrates de carbone forme le point essentiel de cette nouvelle méthode d'alimentation.

Afin de rendre le repas rassasiant il faut consommer une grande quantité de légumes cuits et crus à midi et le soir. Le petit déjeuner doit être constitué de lait, de fruits et de graines de lin; tous les fruits, à l'exception de bananes, de dattes et de figues peuvent être consommés à ce repas. Ici l'on veillera également à ne consommer ensemble que des sortes de fruits semblables, c'est-à-dire par exemple, des oranges et des mandarines. Les baies conviennent avec tous les fruits. Le lait et les fruits peuvent être remplacés le matin par un mélange de céréales plus rassasiant, contenant davantage de calories et dont voici la recette:

> 1 cuillerée à soupe de fromage frais maigre, un peu de lait chaud, 1 pomme râpée, 1 cuillerée à soupe d'huile, 1 cuillerée à café de son de blé et 1 cuillerée à café de germes de blé.

Les graines de lin doivent être incontestables du point de vue biologique et il est préférable de les concasser à chaque repas: nous recommandons les graines de lin de culture spéciale et appellées LINUSIT ou LINOMEL, vendues dans les magasins d'alimentation de régime.

Le lait peut être consommé sous toutes les formes. Mais le lait caillé et le babeurre sont souvent mieux digérés. Le lait doit être consommé à l'aide d'une cuillère à café et être insalivé.

La répartition quotidienne des repas à base de protéine et à base d'amidon dépend du genre de travail effectué par l'être humain.

Pour les enfants ainsi que pour les personnes exerçant une activité physique pénible, l'on tient compte de repas concentrés plus nombreux que pour les personnes travaillant en position assise. Les enfants requièrent, en général, davantage d'hydrates de carbone.

REPAS BASIQUES

La nourriture basique comprend seulement les légumes, le lait et les fruits. Le chou vert et les pommes de terre n'en font pas partie.

REPAS A BASE DE PROTEINE

A ces repas l'on ne consommera ni aliments à base de farine, ni pommes de terre, ni pain. Il est préférable de consommer les crudités (salades) et les fruits avant chaque repas. Dans la mesure du possible l'on n'utilisera que des sortes de légumes et de fruits juteux.

Les tomates cuites conviennent aux repas comprenant de la viande mais non à ceux constitués de farine d'amidon. La soupe aux tomates, légèrement liée à l'aide de flocons de protéine, peut donc être consommée aux repas comprenant de la viande.

Nous répétons:

ALIMENTATION DISSOCIEE SIGNIFIE
LA DISSOCIATION

des HYDRATES DE CARBONE	et de la PROTEINE
(au cours d'un repas)	
Céréales	Oeufs
Pain	Viande
Nouilles	Poisson
Riz	Fromage (contenant moins de 60% de matières grasses)
Pommes de terre	Lait
Chou vert	Farine de soja
Bananes	FRUITS SURS
Sucre	Pommes
Dattes	Raisins
Figues	Poires etc.
Miel	(cf. tableau pages 46/47)
Sirop de betteraves	

Les GRAISSES, SALADES, LEGUMES, HERBES FINES, NOISETTES, MYRTILLES et RAISINS SECS (cf.

tableau pages 46/47) sont de caractère neutre et peuvent donc être consommés tant aux repas à base de protéine qu'à ceux comprenant des hydrates de carbone.

Les tomates et les épinards cuits conviennent aux repas constitués de viande ou de poisson mais non à ceux comprenant de l'amidon mais auxquels les tomates et épinards crus pourront être consommés.

Les SALADES DESTINEES AUX REPAS A BASE DE PROTEINE seront préparées aux herbes fines, à l'huile et au jus de citron ou éventuellement au babeurre.

Les SALADES CONSOMMEES AUX REPAS A BASE D'AMIDON seront préparées à l'huile et aux herbes fines mais sans jus de citron[1] et éventuellement au babeurre. Ce dernier fait partie des aliments à caractère neutre et peut donc être consommé également aux repas constitués d'hydrates de carbone.

L'élément essentiel de la nourriture sera donc lacto-végétal. La viande et la graisse constituent des garnitures.

Le lait peut être consommé sous toutes les formes. On le boira de manière à l'insaliver. Le lait consommé avec des fruits surs et des légumes (crus ou cuits) élimine les substances toxiques (au petit déjeuner). Les malades de la vésicule biliaire donneront la préférance au babeurre plus facilement digestible.

RETENONS: Il faut manger lentement, bien mâcher, respecter des intervalles de trois à quatre heures entre les repas afin que le tube digestif puisse déployer sa qualité autoépurative.

Le pain et le fromage frais (le fromage frais maigre est plus facilement digestible) ou les pommes de terre et le fromage frais peuvent être consommés ensemble. Toutes les sortes de fromage contenant 60% et davantage de matières grasses[2] peuvent être consommés avec du pain. Cette exception peut être appliquée au fromage frais parce qu'il est prédigéré.

---

[1] Il est préférable de préparer la marinade de salade sans jus de citron afin de pouvoir l'utiliser tant aux repas à base de protéine qu'à ceux constitués d'hydrates de carbone. Recette de marinade: herbes fines, oignons, lait caillé, huile.

[2] Les sortes de fromage contenant plus de 60% de matières grasses sont, par exemple, les suivantes: Gervais, Jokey.

Le boudin contient davantage de graisse que de protéine c'est pourquoi il est plus facilement digestible que d'autres saucisses.

Le fromage frais, le fromage contenant plus de 60% de matières grasses et le boudin constituent une assimilation favorable aux anciennes coutumes de nourriture. Mais les malades particulièrement sensibles devront cependant reconcer également à cette assimilation. Il est conseillé d'éliminer de l'alimentation la viande et la graisse de porc et d'utiliser l'huile d'hélianthe et l'huile de lin. Le fromage frais préparé à l'huile de lin constitue, par exemple, un enrichissement du repas du soir[1]

L'ON ASSAISONNERA: de thym (moulu) la viande de boeuf
de sauge (moulue) la viande de veau
de basilic, d'un peu de sauge, d'ail la soupe aux tomates et l'on y ajoutera de la crème, du persil et des oignons.

Toutes les sortes de viandes seront d'un goût particulièrement délicieux lorsque l'on y ajoutera de l'ail fraîchement pressé qui se répartira alors de manière plus efficace.

L'ON MANGERA donc, par exemple, le matin des fruits et du lait dans une mesure suffisante pour en être rassasié de manière convenable, ou bien le mélange de céréales décrit à la page 54. Notons qu'il faudra toujours ajouter des graines de lin au lait, car c'est alors que ce repas sera rassasiant. A midi, l'on consommera un repas à base de protéine, c'est-à-dire par exemple, des fruits, des carottes crues avec des pommes râpées, de la salade et une escalope non panée;
le soir, des tomates crues, des concombres ou de la salade verte — sans jus de citron — du pain avec du fromage, contenant plus de 60% de matières grasses, et du thé.

Dans certains cas spéciaux, il s'est avéré favorable de remplacer le lait par du babeurre et de manger, aux repas comprenant de la viande, des concombres surs ou de la salade verte préparée avec une sauce légèrement sure. Le babeurre doit évidemment être exempt de toute application chimique.

---

[1]Les huiles et graisses ainsi que les graines de lin à l'état naturel sont vendues dans les magasins d'alimentation de régimes et les drogueries.

Les graines de lin ajoutées au lait consommé au petit déjeuner sont favorables à la digestion. Ceci est un facteur très important pour les malades de l'estomac et de la vésicule biliaire, mais constitue également une mesure préventive à pratiquer par les personnes saines.

EXEMPLE de la NOURRITURE MOYENNE à prévoir PAR JOUR.

Le matin:

Le mélange de céréales décrit à la page 54 et un verre de jus de fruit frais, une tasse de thé;
ou bien des fruits, du lait et des graines de lin moulues;
ou bien (pour les personnes exerçant une activité physique et pour les enfants):
1 verre de jus de légumes, café, pain, beurre, miel;
soit 80% de jus de légumes et 20% d'hydrates de carbone, ou bien le mélange de céréales décrit à la page 54 avec davantage de fromage frais, de fruits avec éventuellement des raisins secs, de germes de blé et de son de blé, de lait et d'huile.

A midi:

Des fruits ou du jus de fruits ou de légumes;
De la soupe aux légumes;
20% de poisson ou de viande ou des oeufs (ces derniers non crus);
80% de légumes crus et cuits.

Le soir:

80% de légumes crus ou de salade;
20% de pommes de terre en robe des champs;
ou de pain;
ou de soufflé au riz non poli, ou aux nouilles à farine de grain complet;
garniture: boudin ou fromage frais (éventuellement préparé à l'huile de lin ou à l'huile de germes de blé);
dessert: figues, dattes, noisettes ou bananes.

Le chercheur en matière de nutrition RAGNAR BERG retient comme HAY l'importance des 80% de nourriture basigène et de 20% de nourriture concentrée.

RETENONS CE QUI SUIT:

Mangeons

Le matin: Le mélange de céréales (cf. page 54)
A midi: Une sorte de protéine, de la salade, des légumes, des fruits
Le soir: Une sorte d'hydrates de carbone et des crudités (légumes)

Les collations pourront être constituées le matin de lait et de fruits, lorsque l'on aura consommé au petit déjeuner le mélange de céréales (cf. p. 54), et l'après-midi elles contiendront du pain, du beurre et du jus de légumes.

C'est ainsi que l'être humain pratiquant l'Alimentation Dissociée aura consommé jusqu'au soir les mêmes aliments concentrés que celui se conformant au système de nourriture mixte, mais le premier nommé aura mieux exploité sa nutrition.

Des essais métaboliques ont prouvé que l'Alimentation Dissociée assure la digestion intégrale de la nourriture (et même des celluloses).

MENUS ET RECETTES CULINAIRES

L'alimentation dissociée est en principe un système très simple lorsque l'on tient compte de ses règles fondamentales (page 53).

PROPOSITIONS POUR LA CUISINE VEGETARIENNE

Lundi:

1) Salade de choucroute crue.
2) Purée de pommes de terre préparée à l'eau et à la crème.
3) Oignons avec du beurre fondu ou de la margarine fondue.

Mardi:

1) Crudités (légumes).
2) Riz non poli avec du paprika.
3) Bananes flambées au cognac.

Mercredi:

1) Crudités (légumes).
2) Soufflé aux nouilles à farine de grain complet.
3) Myrtilles à la crème.

Jeudi:

1) Salade.
2) Petits gâteaux au fromage frais.

Vendredi

1) Crudités (légumes).
2) Soufflé au froment avec des légumes.

Samedi:

1) Crudités (légumes).
2) Soupe aux pommes de terre, boudin.
3) Bananes flambées au cognac.

Dimanche:

1) Salade de fruits.
2) Salade de céleri.
3) Poisson étuvé dans son propre jus.

Un ou deux repas de poissons par semaine sont recommandés aux végétariens qui souffrent, en général, d'une insuffisance de protéine.

RECETTES DE SOUFFLES

Blanchir des haricots, des pommes de terre ou du choufleur. L'on cuira ensuite dans ce bouillon les céréales ou le riz non poli ou les nouilles à farine de grain complet.

Une timbale à soufflé sera garnie ensuite alternativement d'une couche de légumes et d'une couche de céréales de grain complet. Des flocons de fromage aux herbes fines (contenant plus de 60% de matières grasses) seront éparpillés à la surface du soufflé que l'on mettra ensuite cuire au four jusqu'à l'apparition d'une couche dorée.

Pour d'autres recettes de la cuisine végétarienne cf. les repas à base d'hydrates de carbone, pages 75 à 88, et les compositions de crudités, pages 89 et 90.

PROPOSITIONS DESTINEES AU SERVICE D'UNE CANTINE

Lundi:

1) Crudités (légumes).
2) Plat de chou blanc avec du hachis de viande ou du rôti de mouton.
3) Fruits.

Mardi:

1) Crudités (légumes).
2) Plat de haricots avec des pommes de terre, du jambon ou de la saucisse.

Mercredi:

1) Crudités (légumes).
2) Chou rouge avec des pommes.
3) Boulettes de viande (au lieu d'utiliser du pain, ajouter des tomates ou des carottes cuites passées, de l'ail et des oignons).

Jeudi:

1) Salade de choucroute crue.
2) Purée de pommes de terre (préparée à l'eau et à la crème).
3) Boudin.

Vendredi:

1) Salade.
2) Tranches de pommes cuites ou salade de céleri.
3) Poisson étuvé dans son propre jus.

Samedi:

1) Crudités (légumes).
2) Soupe aux légumes et au riz.
3) Dessert: plat de riz.

ou

1) Crudités (légumes).
2) Chou vert avec pommes de terre en robe de chambre.
3) Fromage frais ou plat de fromage frais aux bananes.

ou

1) Crudités (légumes).

2) Chou-rave avec purée de pommes de terre.
3) Viande de dinde ou poulet.

Dimanche:

1) Crudités (légumes).
2) Rôti, légumes surgelés et salade préparée au lait et aux herbes fines.
3) Dessert: une pomme.

I. REPAS A BASE DE PROTEINE

A ces repas l'on ne consommera pas d'aliments à base de farine, ni pommes de terre, ni riz, ni pain, mais des légumes et des fruits surs.

a) **POISSONS DE TOUS GENRES ET GARNITURES**

1 — Fruits
Salade, crudités
Filet de poisson (non pané)

2 — Doucette (mâche)
Salade à l'italienne

3 — Fruits
Carottes cuites, salade verte, crudités
Poisson avec mayonnaise

4 — Fruits
Salade de dent-de-lion, poireaux
Poisson avec sauce aux tomates (sans farine)

5 — Fruits
Crudités, asperges avec du beurre
Roulades de poisson

6 — Fruits
Soupe aux tomates
Oignons étuvés, crudités
Poisson étuvé dans son propre jus

7 — Fruits
Salade d'endives et de tomates, crudités
Truite au beurre

8 — Fruits
Crudités, salade verte
Saumon à la mayonnaise

9 — Fruits
Crudités, plat de haricots
Féra au beurre

b) **VIANDE AVEC GARNITURES**

1 — Fruits
Crudités
Roastbeef garni de carottes, poireaux, céleri

2 — Fruits
Crudités
Plat de divers légumes cuits et viande de boeuf sans pommes de terre

3 — Fruits
Crudités
Asperges, salade verte
Jambon

4 — Fruits
Crudités
Filet de boeuf garni de choux de Bruxelles, de chou-fleur cuit

5 — Fruits
Crudités
Tomates et concombres
Boulettes de viande

6 — Fruits
Crudités
Asperges au beurre
Rognons de veau

7 — Crudités
Escalope de veau
Tranches de pommes étuvées

8 — Fruits
Crudités
Plat de haricots
Foie étuvé
Tranches de pommes étuvées ou cuites

9 — Fruits
Crudités
Salade à l'italienne (Page 69)

10 — Salade de fruits
Crudités
Viande aux oignons (Page 68)
Chou-fleur

11 — Fruits
Crudités
Tomates étuvées
Steak tartare (Page 68)

12 — Fruits
Crudités
Salade de choucroute crue
Poitrine de veau farcie de pommes

13 — Salade de fruits
Crudités
Plat de chou-rave
Côtelette de veau non panée

14 — Fruits
Crudités
Plat de céleri
Viande de boeuf

15 — Fruits
Crudités
Salade, Oignons cuits
Rognons

16 — Salade de fruits
Crudités
Bette
Hachis de boeuf

17 — Salade de fruits
Crudités
Chou blanc au cumin
Gigot de mouton

18 — Fruits
Crudités
Chou frisé
Rôti d'agneau

19 — Fruits
Crudités
Irish-Stew à la viande de mouton

20 — Fruits
Crudités
Salade de chou blanc
Côtelette de mouton

21 — Salade de fruits
Crudités
Carottes cuites
Poulet cuit

22 — Fruits
Crudités
Choucroute crue
Rôti de veau

23 — Fruits
Crudités
Chou rouge avec pommes
Rôti de porc

24 — Salade de fruits
Crudités
Salade, chou fleur au beurre
Faisan

25 — Fruits
Crudités
Rôti d'oie
(sauce assaisonnée au céleri,
farcir le rôti de pommes
ou de hachis de viande et de pommes)

26 — Fruits
Crudités
Salade, chou-fleur
Pigeons

27 — Fruits
Crudités
Côtelettes

28 — Salade de fruits
Crudités
Chou rouge avec pommes
Gigot d'agneau

29 — Fruits
Crudités
Chou fleur; chou rouge
Lapin

c) **OEUFS ET GARNITURE**

1 — Fruits
Crudités
Epinards
Mortadelle avec oeuf sur le plat

2 — Salade de fruits avec champignons hachés
Omelette
Salade verte

d) **PETITS PLATS COMPLETES DE SALADE CRUE**

1 — Salade aux crevettes
Petits pois, asperges, ananas
Pommes et mayonnaise
2 — Poisson cuit au beurre fondu et au citron
Salade de chou-rouge cru
Pommes
3 — Salade aux ananas, pommes, asperges
Petits pois et mayonnaise
Poivron farci (Page 69)
Salade aux tomates, salade verte
Fruits
4 — Asperges au jambon et aux oranges (Page 70)
5 — Ragoût fin en coquilles (Page 70)
6 — Ragoût de poisson en coquilles (Page 70)
7 — Concombre étuvé avec beurre au fenouil (Page 71)
8 — Chicorée étuvée arrosée d'un filet de jus de citron (Page 71)
9 — Brochettes de rognons à la parisienne (Page 71)
10 — Céleri-rave farci (Page 71)
11 — Salade Waldorf-Astoria (Page 72)
12 — Salade suédoise aux crevettes (Page 72)
13 — Salade de fruits à l'américaine (Page 72)
14 — Salade de volaille aux oranges (Page 72)
15 — Salade de carottes à l'américaine (Page 73)
16 — Salade de poireaux à l'italienne (Page 73)
17 — Salade Sanremo (Page 73)
18 — Salade Milanaise (Page 73)
19 — Cordon bleu (Page 73)

e) **RECETTES POUR REPAS A BASE DE PROTEINE**

1) Viande aux oignons

1/2 kg. de viande de boeuf coupée en petits dés, 2 à 3 oignons selon leur grosseur, de la marjolaine, du thym, un peu d'huile, 1/8 litre de crème aigre.

On fait revenir légèrement les oignons de façon à ce qu'ils conservent une certaine transparence et l'on y ajoute la viande et ensuite la crème, mais seulement lorsque la viande est à point.

2) Steak tartare

Viande de boeuf hachée, un oignon coupé fin, du basilic, 1 jaune d'oeuf, des tomates coupées et des herbes fines hachées.

Après avoir mélangé ces ingrédients, on mange cette viande avec des légumes ou des crudités.

3) Viande hachée avec carottes

1/2 kg. de viande de boeuf hachée, un petit oignon, un peu de sel aux plantes aromatiques, du thym, du basilic, 4 ou 5 carottes.

On fait revenir l'oignon dans un peu de beurre et on le mélange ensuite avec la viande, les carottes râpées et les épices. Mettre cette masse à étuver, à chaleur modérée, dans un moule en verre beurré.

4) Roulades au chou

500 g. de viande de boeuf hachée, 1 oeuf, 2 petits oignons hachés, du sel aux plantes aromatiques, du basilic, du thym, du chou blanc.

Mélanger la viande, l'oeuf, les épices, le chou découpé; revêtir cette masse de feuilles de chou blanc et mettre à étuver.

5) Chou blanc avec tomates et fromage

Du chou blanc coupé fin et blanchi, des tomates coupées — assaisonnés à volonté — et du fromage râpé sont dressés alternativement en couches superposées en timbale beurrée. Mettre ensuite ce soufflé à cuire à chaleur modérée.

6) Salade fine

Couper fin un petit céleri-rave blanchi, une pomme pelée, 125 g. de viande de poulet cuite et la pulpe de deux oranges sans pépin et mélanger avec 10 noix découpées en gros morceaux, le zeste râpé d'une orange, une cuillère à soupe de cognac et 125 g. de mayonnaise de bonne qualité. Laisser reposer au réfrigérateur pendant une heure ou deux et servir avec une salade verte.

7) Poulet cuit à l'étuvée dressé dans une sauce aux tomates

Après la cuisson découper le poulet en morceaux et les mettre dans une sauce aux tomates bien assaisonnée; laisser mijoter lentement pendant 20 minutes. Garnir de haricots verts cuits et servir avec de la salade verte.

8) Salade à l'italienne

Cuire du poisson ou de la viande et découper ensuite en petits dés; découper également des pommes, du céleri, des betteraves et des cornichons, mélanger le tout avec de la mayonnaise préparée au yogourt avec un jaune d'oeuf, de l'huile et du jus de citron.

9) Salade au fromage de gruyère

Découper le fromage en fines tranches que l'on dresse dans un moule avec des crudités découpées. Arroser le tout de yogourt et éventuellement de crème fraîche. Laisser ensuite reposer.

10) Poivrons farcis

Après avoir évidé les poivrons, on les garnit d'une farce préparée avec des oignons, du hachis de boeuf, du jaune d'oeuf, des pommes râpées, du persil et un peu d'huile. On les met ensuite à étuver, pendant 20 minutes, avec un peu d'eau dans une marmite à pression.

11) Soufflé au poisson

Un filet de poisson assaisonné de sel marin et de jus de citron est dressé dans un moule PYREX beurré que l'on garnit alternativement de tranches de tomates et de légumes — au choix — préalablement découpés en petits morceaux et étuvés. On dépose de petites boules de beurre à la surface de cet apprêt et on le met à étuver dans son propre jus pendant 20 minutes environ.

12) Asperges au jambon et aux oranges

Cuire des asperges épluchées et découpées en morceaux de 5 cm. environ et les dresser ensuite alternativement, dans un moule PYREX beurré, avec du jambon fumé coupé fin et des tranches d'oranges sans pépin. Les pointes d'asperges garnies de boules de beurre forment la couche supérieure de cette masse.
On arrose cette dernière d'une demi-tasse de crème fraîche légèrement salée et on la laisse cuire pendant 20 minutes au four préalablement chauffé.
A la place du beurre, on peut employer de la margarine.

13) Ragoût fin en coquilles

On prépare un mélange se composant de: 50 g. de langue de boeuf découpée en aiguillettes, 50 g. de rôti de veau découpé en aiguillettes, 50 g. d'asperges déjaunes d'oeufs, une tasse de lait, une pincée de sel, un peu de poudre de paprika. Des coquilles préalablement beurrées sont garnies de ce mélange sur lequel on place des boules de beurre et que l'on fait gratiner au four pendant 15 minutes environ.
Servir avec des tranches de citron et de la salade.
Au lieu du beurre, on peut utiliser de la margarine.

14) Ragoût de poisson en coquilles

Découper en petits morceaux des restes de poisson cuit. Bien mélanger 2 cuillères à café de concentré de tomates, un cornichon aigre-doux haché, 4 noix hachées, 1 cuillerée à café de poudre de paprika, 2 tasses de lait et 2 jaunes d'oeufs, et en arroser le poisson. Dresser cette masse dans des coquilles beurrées et garnir de boules de

beurre. Faire gratiner au four chaud pendant 10 minutes environ. Avant de servir piquer, avec une fourchette, quelques trous dans la croûte et y verser quelques gouttes de vin sec.
Servir avec une salade verte ou une salade de choucroute.

15) Concombres étuvés avec beurre au fenouil

On prévoit 250 g. de concombre par personne.

Eplucher les concombres, les couper en deux dans le sens oblong, en éliminer les pépins, mettre à étuver à chaleur modérée dans une quantité abondante de beurre frais, ajouter du sel et de la poudre de paprika. Les concombres chauds seront enduits de beurre frais ou de margarine, préalablement mélangé avec du fenouil frais haché fin.
Avant de servir, garnir les concombres de jaune d'oeuf cuit dur et haché fin.

16) Chicorée étuvée arrosée d'un filet de jus de citron

On prévoit deux chicorées par personne. On les étuve à chaleur modérée — pendant 10 minutes environ — dans du beurre frais. On y ajoute du sel et un filet de jus de citron.
Garnir de jaune d'oeuf cuit dur et haché fin.

17) Brochettes de rognons à la parisienne

Embrocher alternativement une tranche de rognon, une feuille de sauge, une tranche de lard au jambon, 1/2 oignon. Cuire rapidement les brochettes sur toutes les faces dans de l'huile ou de la graisse chaude, les assaisonner de sel et de poudre de paprika.
Servir avec de la salade ou des légumes.

18) Céleri-rave farci

Cuire un céleri-rave dans de l'eau légèrement salée. Le laisser refroidir, l'éplucher et le couper en deux, l'évider avec une cuillère à café et l'arroser d'un filet de jus de ci-

tron. Réduire en purée la masse extraite du céleri-rave et la mélanger avec des restes de viande (volaille, rôti, langue) découpées en petits morceaux, un cornichon finement haché, 1/2 pomme douce râpée, 1 cuillère à café de câpres, de la mayonnaise préparée avec du yogourt, du jaune d'oeuf, de l'huile et du jus de citron. Farcir le céleri-rave de cette masse.
Laisser reposer au réfrigérateur et servir ensuite sur des feuilles de salade.

19) Salade Waldorf-Astoria

On mélange un petit céleri-rave blanchi et coupé, une pomme pelée découpée, 125 g. de viande de poulet cuite, la pulpe de deux oranges sans pépin, 10 noix hachées, le zeste râpé d'une orange, un filet de cognac, 125 g. de mayonnaise.
Servir en petites portions sur des feuilles de salade verte.

20) Salade suédoise aux crevettes

Bien mélanger 125 g. de crevettes, 100 g. de céleri cru râpé, 100 g. de petits pois verts étuvés au beurre, une pomme découpée en petits morceaux, 125 g. de mayonnaise épaisse.
Laisser reposer au réfrigérateur et servir ensuite sur des feuilles de salade verte.

21) Salade de fruits à l'américaine

On découpe en petits dés la pulpe d'un pamplemousse, de deux oranges, deux pommes sucrées et 100 g. d'ananas. On y ajoute un petit céleri-rave râpé. Bien mélanger cette masse avec deux cuillères à soupe de raisins de Smyrne, 50 g. de noix hachées en gros morceaux, 1/4 de tasse de miel d'abeilles, le jus de deux citrons et le zeste râpé d'une orange. Laisser reposer pendant 30 minutes au réfrigérateur. Servir avec du poisson frit ou de la viande ou de la volaille.

22) Salade de volaille aux oranges

On découpe en petits dés 200 g. de viande de volaille cuite ou rôtie que l'on mélange avec la pulpe de deux oranges, une poignée d'amandes mondées et coupées en deux, le zeste finement haché d'une orange, 125 g. de mayonnaise et un filet de cognac. Servir dans des coquilles de moules.

23) Salade de carottes à l'américaine

Râper en purée 250 g. de carottes et bien les mélanger avec 50 g. de noix de coco râpée, 50 g. de jambon maigre découpé en petits morceaux, le jus de deux oranges, le zeste râpé d'une orange et 125 g. de mayonnaise. Servir avec de la salade.

24) Salade de poireaux à l'italienne

Bien laver deux gros poireaux et en éliminer les feuilles. Découper leur base blanche en fines lamelles et les mélanger avec du saumon fumé coupé fin, le jus et le zeste râpé d'un citron et de l'huile d'olive. Laisser reposer pendant une heure et servir sur des feuilles de salade.

25) Salade Sanremo

Peler quatre tomates mûres et les découper en fines tranches, les mélanger avec un jaune d'oeuf cuit haché, quelques crevettes, un oignon râpé, le jus d'un demi-citron et de l'huile d'olive.
Servir sur des feuilles de laitue.

26) Salade milanaise

Couper en deux huit coeurs de laitues et les quartiers d'une orange; bien les mélanger avec huit griottes dénoyautées, une cuillerée à soupe de miel d'abeilles, des noisettes découpées chacune en huit morceaux, le jus et le zeste râpé d'une orange, un filet de cognac et 50 g. de yogourt.
Servir sur des feuilles de salade.

27) Cordon bleu

Aplatir fortement une escalope de veau, l'assaisonner de sel et de sauge à raison d'une petite prise sur chaque face, appliquer sur l'une de celle-ci une fine couche de fromage à la crème et la recouvrir d'une tranche de jam-

bon cuit. Rassembler le tout au moyen de petits instruments en bois ou de brochettes de roulades.
Faire rôtir.

Le cordon bleu est un plat particulièrement succulent lorsque les quantités de viande, de fromage, de jambon et de sauge sont réunies dans les justes proportions.

f) RECETTES DE DESSERTS DESTINES AUX REPAS A BASE DE PROTEINE

1) Tous les genres de fruits mentionnés sous la rubrique fruits surs au tableau «La Constitution de l'Alimentation d'après HAY», après la page 46/47, peuvent être utilisés.

2) Rondelles de pommes

Etuver avec de l'eau des rondelles de pommes dans une poêle, jusqu'à ce qu'elles soient presque molles. Avant de servir, y ajouter un filet d'huile chaude.

3) Fromage frais aux cerises

Passer du fromage frais et le mélanger avec des raisins secs et des cerises sucrées dénoyautées; les bigarreaux noirs conviennent particulièrement bien à cet effet.
On peut aussi mélanger le fromage frais passé avec des raisins secs et des pêches pelées, coupées en petits morceaux, ou des fraises.

4) Dessert à la crème fouettée

On mélange des fruits découpés en petits morceaux (fraises, framboises ou pêches), des raisins secs et de la crème fraîche fouettée.
Laisser reposer au réfrigérateur.

5) Glace

Glace se composant de crème fraîche, de raisins de Corinthe et de fruits (framboises et fraises).

II. REPAS A BASE D'HYDRATES DE CARBONE

La viande, le poisson, les oeufs, le lait, les fruits surs doivent être exclus de ces repas. Mais ces derniers peuvent contenir des myrtilles, des champignons et des bananes. Les salades doivent être préparées sans vinaigre et sans citron.

a) REPAS AVEC POMMES DE TERRE

— Salade verte
Soupe aux légumes
Plat de jeunes haricots verts
Pommes de terre farcies, première méthode
(Page 77 - n. 1)

2 — Salade de crudités
Pommes de terre farcies, deuxième méthode
(Page 78 - n. 4)
Plat de crème fraîche

3 — Salade
Soupe aux pommes de terre
Pommes de terre en robe des champs grillées
Poireaux
Beurre ou margarine

4 — Salade de crudités
Purée de pommes de terre
Oignons étuvés à l'huile
Choucroute crue sans pomme
Bananes rôties

5 — Salade de crudités
Déjeuner paysan (Page 78 - n. 2)
Myrtilles avec du miel

6 — Salade de crudités
Pommes de terre au cumin, fromage frais

7 — Soupe aux légumes
Crêpes aux pommes de terre (avec seulement du jaune d'oeuf)
Compote de myrtilles

8 — Petits gâteaux au fromage frais avec de la salade
(Page 79 - n. 7)

b) REPAS A BASE DE FARINE

1 — Salade de crudités
Soufflé au pain (Page 80 - n. 1)

2 — Soupe aux grains de blé vert avec de croûtons frits
Dampfnudeln (Page 80 - n. 2)
Myrtilles

3 — Salade de crudités
Tranches aux grains de blé vert (Page 80 - n. 3)
Salade de tomates
Crème aux bananes (Page 87 - n. 5)

4 — Pain complet avec du beurre
Fromage frais
Tomates et tranches de concombre
Bière ou tisane

5 — Salade de crudités
Pudding aux grains de blé vert et raisins secs
(Page 81 - n. 6)

6 — Myrtilles avec du sucre
Gruaux d'avoine avec des carottes (Page 82 - n. 10)

7 — Soupe aux gruaux d'avoine
Crêpes à la levure avec des myrtilles (Page 82 - n. 8)

8 — Salade de crudités
Pâté aux oignons (Page 81 - n. 5)

9 — Salade de crudités
Boulettes de chou blanc (Page 82 - n. 7)

10 — Salade de crudités
Soufflé de nouilles au grain complet (Page 84 - n. 17)
Sauce aux champignons

11 — Salade de crudités
Salade verte
Chou-rave farci

12 — Salade de crudités
Salade verte, champignons
Jaunes d'oeufs brouillés

13 — Salade de crudités
Bouillon de légumes avec nouilles (Page 91 - n. 2)
Pochettes fourrées aux myrtilles (Page 83 - n. 13)

14 — Crudités
Bouillie de grain complet

c) REPAS A BASE DE RIZ

1 — Salade de tomates
Bouillon aux légumes avec du riz (Page 91 - n. 2)
Riz au safran avec champignons (Page 86 - n. 8)

2 — Salade de crudités
Soufflé au riz (Page 85 - n. 1)

3 — Salade de crudités
Petits gâteaux au riz (Page 85 - n. 2)

4 — Salade de crudités
Riz et asperges (Page 85 - n. 3)

5 — Salade de crudités
Bouillon aux légumes
Riz aux fruits (Page 86 - n. 5)

6 — Salade de crudités
Riz avec divers légumes (Page 86 - n. 6)

7 — Salade verte
Bouillon de légumes assaisonné
Riz avec divers légumes

8 — Salade verte
Riz au safran avec champignons (Page 86 - n. 8)

d) RECETTES POUR REPAS A BASE D'HYDRATES DE CARBONE

Recettes pour repas avec pommes de terre

1) Pommes de terre farcies (1ère méthode)

Rôtir au four des pommes de terre bien brossées, les éplucher et les évider. Passer au presse-purée la masse retirée des pommes de terre et la mélanger enduite avec du lard, des oignons rôtis, du jaune d'oeuf, du persil et du glutamate; farcir de ce mélange les pommes de terre évidées que l'on réchauffera ensuite au four.

2) Déjeuner paysan

Garnir une timbale à soufflé beurrée de couches de pommes de terre cuites découpées en tranches, d'oignons que l'on aura fait revenir avec des dés de lard, et de crème fraîche. Déposer en dernier lieu sur ce soufflé des petites boules de beurre et le mettre chauffer au four.

3) Soufflé aux légumes

Déposer alternativement dans une timbale à soufflé beurrée: des pommes de terre cuites découpées en tranches, des légumes étuvés (à savoir: carottes, petits pois, haricots, chou de Milan ou restes de légumes) avec des oignons, et en dernier lieu une couche de pommes de terre garnie de petites boules de beurre. Mettre gratiner au four.

4) Pommes de terre farcies (2ème méthode)

Evider des pommes de terre crues et les farcir d'oignons coupés fins et étuvés, et de champignons hachés; les dresser dans une timbale à soufflé beurrée et les garnir de petites boules de beurre. Faire rôtir au four.

5) Purée de pommes de terre

a) Passer au presse-purée des pommes de terre farineuses cuites, les mélanger avec de l'eau bouillante et un peu de beurre ou de crème fraîche.

b) Passer au presse-purée des pommes de terre à l'anglaise, les mélanger avec leur eau de cuisson et un peu de beurre ou de crème fraîche.

c) Mélanger des pommes de terre cuites râpées, du jaune d'oeuf, du sel marin, du persil finement haché et un peu de fécule de pommes de terre; garnir de cette masse un moule à pudding avec couvercle et mettre cuire au bain-marie pendant une demi-heure.

6) Petits gâteaux aux pommes de terre

Mélanger soit de la purée de pommes de terre, soit des pommes de terre râpées — cuites depuis 24 heures —

avec de la fécule de pommes de terre, du jaune d'oeuf et des herbes fines hachées.
Former avec cette masse des petits gâteaux que l'on cuira légèrement sur les deux faces pour les rendre dorées.

7) Petits gâteaux au fromage frais

Mélanger des quantités égales de pommes de terre râpées — cuites depuis 24 heures — et du fromage frais, y ajouter du sucre et des raisins secs; former de cette masse des petites boulettes que l'on fera rôtir dans une poêle.

8) Pommes de terre en robe des champs

Bien brosser des petites pommes de terre non épluchées et les couper en deux. Saupoudrer de cumin leur surface de section et les placer sur une plaque à rôtir bien beurrée (cumin vers le haut) et mettre cuire au four pendant une demi-heure environ.

9) Pommes de terre aux épices

Cuire des pommes de terre à la vapeur, les laisser refroidir et les éplucher; les râper grossièrement.
Faire revenir dans de l'huile des oignons finement hachés, y ajouter les pommes de terre et les assaisonner de beaucoup de cumin moulu, d'un peu d'ail, et d'un peu de sel.
Servir avec de la salade verte ou des crudités.

10) Pommes de terre en forme de saucisse chaude

Eplucher 200 g. de pommes de terre cuites, encore chaudes, les passer dans le presse-purée, y ajouter deux jaunes d'oeufs, bien mélanger et partager cette masse en deux.
Assaisonner l'une des deux parties de curry et d'un peu de sel et l'autre partie de Frugola (ou autre produit protéinique vendu dans les magasins de diététique). Superposer ces deux parties et en former une saucisse.
Saupoudrer fortement de cumin moulu une feuille de papier aluminium dans laquelle on enveloppera la sau-

cisse de pommes de terre que l'on fera cuire au four pendant 20 minutes.
Enlever le papier aluminium et servir avec des épinards et de la salade de tomates.

RECETTES POUR REPAS A BASE DE FARINE

1) Soufflé au pain

100 g. de pain noir, 5 cuillerées à soupe d'eau, un peu de crème fraîche, 2 jaunes d'oeufs, 4 cuillerées à soupe de sucre, 50 g. de beurre, raisins secs et noisettes à volonté.

Verser de l'eau bouillante sur le pain et lorsqu'il sera bien ramolli, le mélanger avec les ingrédients précités. Cuire ce soufflé au four à température douce.

2) Dampfnudeln

400 g. de froment broyé, 125 g. de beurre, 110 g. de sucre, 3 jaunes d'oeufs, 30 g. de levure, 1/8 d'eau avec du yogourt.

a) Préparer la pâte de manière habituelle, la travailler au rouleau jusqu'à une épaisseur de 1 cm. environ et la détailler en rondelles que l'on badigeonnera de jaune d'oeuf. Après les avoir laissé lever, les cuire au four.

b) dans une marmite en fer faire bouillir de l'eau (quantité: un verre) additionnée d'un peu de beurre et de sel. Y ajouter les Dampfnudeln préparées de la manière décrite ci-dessus et les faire cuire pendant 20 minutes environ à petit feu jusqu'à ce qu'elles grésillent.

3) Tranches aux grains de blé vert

250 g. de flocons de blé vert, 1/4 l. d'eau, 3 cuillerées à soupe de chapelure, 40 g. de levure, du persil haché fin, 1 oignon, 1 cuillerée à soupe d'huile, un peu de Frugola et de farine de grain complet.

Faire gonfler les flocons dans l'eau, y ajouter la levure et les autres ingrédients. Former de cette masse de petites boulettes que l'on mettra cuire. On pourra ajouter également à ce mélange des restes de légumes passés au presse-purée.

4) Petits pains au froment broyé

1/2 kg. de froment broyé, 1/4 kg. de farine de blé, 30 g. de levure, 1/2 l. d'eau, 1 à 2 cuillerées à café de miel d'abeilles, 7 g. de sel, 2 jaunes d'oeufs et un peu de farine.

Laisser lever cette pâte pendant une demi-heure. En former ensuite de petits pains, les laisser lever à nouveau. Les faire cuire à température assez élevée.

5) Pâté aux oignons

200 g. de farine de seigle, 100 g. de farine de blé, 150 g. de beurre, 2 jaunes d'oeufs, du sel, de l'eau (une demi-tasse), des oignons coupés fins et des champignons pour la farce.

Garnir de 2/3 de cette pâte une timbale à soufflé beurrée; mélanger les champignons — étuvés dans les oignons — les jaunes d'oeufs et un filet de crème fraîche; déposer cet apprêt sur la pâte dans la timbale. Le reste de la pâte sera déposé à la surface pour recouvrir le tout. Mettre cuire au four.

Au lieu de champignons, on pourra utiliser de la choucroute pour la farce.

6) Pudding aux grains de blé vert et raisins secs

150 g. de grains de blé vert broyé, 80 g. de pain complet, 2 cuillerées à soupe de beurre, 3 cuillerées à café de miel, 2 jaunes d'oeufs, 50 g. de raisins secs préalablement trempés.

Plonger les grains de blé vert broyé dans un demi-litre d'eau bouillante et les laisser refroidir. Verser également de l'eau bouillante sur le pain complet. Mélanger les grains de blé vert, le pain complet et les ingrédients précités.

Verser cette masse dans un moule à pudding beurré et mettre cuire au bain-marie pendant 3/4 d'heure.

7) Boulettes de chou blanc

2 kg. de chou blanc, 8 cuillerées à soupe de blé vert moulu, un oignon, de l'huile, un peu de farine de grain complet, un jaune d'oeuf, du sel marin, du Frugola ou assimilé et de la poudre de paprika.

Blanchir les feuilles de chou blanc, les passer au presse-purée, les mélanger avec les ingrédients précités et laisser reposer cet apprêt pendant une demi-heure. Former ensuite des boulettes, les saupoudrer de farine de grain complet et les cuire dans de la graisse.

8) Crêpes à la levure

1/2 kg. de farine, de l'eau à volonté, 20 g. de levure, une pincée de sel.

Farce: 250 g. de fromage frais, 1 jaune d'oeuf, quelques raisins secs, 1 cuillère à soupe de miel.

Mélanger les ingrédients précités de manière à obtenir une pâte fluide; dans une poêle frottée avec de l'huile, cuire des crêpes très fines que l'on farcira de fromage frais préparé avec les ingrédients précités. Les crêpes seront servies chaudes.

La farce de fromage frais peut être remplacée par des champignons, des myrtilles ou du concentré de fruit d'églantier.

9) Petits pains aux oignons

Couper en deux des petits pains au froment broyé et les tartiner d'huile et d'oignons étuvés; les faire gratiner au four.

10) Gruaux d'avoine avec des carottes

5 cuillerées à soupe de gruaux d'avoine, 5 à 6 carottes râpées, 125 g. de noisettes râpées, un peu de miel et 1/8 l. d'eau.

Laisser ramollir les gruaux d'avoine dans l'eau pendant 10 minutes et les mélanger ensuite avec les ingrédients précités.

11) Petits gâteaux à base de froment broyé

250 g. de froment broyé, 100 g. de farine de blé, 150 g. de sucre, 80 g. de beurre, 2 jaunes d'oeufs, 1 cuillerée à café de levure, 1 gousse de vanille.

L'on détaille la pâte en petits gâteaux qui se déformeront légèrement au cours de la cuisson.

12) Linzertorte aux gruaux d'avoine

375 g. de farine de blé, 250 g. de gruaux d'avoine, 125 g. de sucre, de la cannelle, des clous de girofle, un zeste de citron, 2 jaunes d'oeuf, de la levure.

Préparer deux pâtes différentes:

Première pâte:

Bien mélanger, sur une planche de bois, le beurre et les gruaux d'avoine. Mettre cette pâte de côté.

Seconde pâte:

Mélanger les autres ingrédients, à savoir la farine, le sucre, les épices, la levure et les jaunes d'oeufs. On peut utiliser de la farine à volonté.

Travailler ensuite les deux pâtes. Abaisser au rouleau les 3/4 de la pâte finale. Utiliser à cet effet du papier sulfurisé ayant la grandeur du moule. Après avoir monté un bord de pâte autour de celle déposée sur le fond, garnir le moule de myrtilles. Détailler le reste de la pâte de manière à former une grille sur les myrtilles.

Cuire au four à température douce.

13) Pochettes fourrées

125 g. de farine de blé, 125 g. de froment broyé, 130 g. de beurre, de l'eau (1 tasse), 1 à 2 cuillerées à soupe de crème fraîche, un peu de sel, 1 cuillerée à café de levure.

a) De ces ingrédients faire une pâte et l'abaisser au rouleau, en détailler des carrés, les fourrer de myrtilles et les replier en forme de pochettes que l'on cuira à température modérée.

b) Ces pochettes peuvent être fourrées également de fromage frais et de raisins secs.

14) Soufflé au fromage frais

125 g. de beurre, 200 g. de sucre, 250 g. de fromage frais égoutté, 2 jaunes d'oeufs, un peu de vanille, 60 g. d'amandes hachées, 60 g. de raisins de Smyrne, 300 g. de farine de grain complet, 1/2 sachet de levure, de l'eau à volonté.

Mélanger le beurre et le sucre, y ajouter le fromage frais, les jaunes d'oeufs, la vanille, les amandes, les raisins de Smyrne et en dernier lieu la farine de grain complet additionnée de levure.
Cuire cette masse dans une timbale à soufflé.

Cette préparation culinaire peut aussi être consommée froide.

15) Gâteau au fromage frais

Préparer la pâte de la même manière que pour les pochettes décrites au n. 13.

Crème: 750 g. de fromage frais, 1/8 l. de crème fraîche, 200 g. de sucre, 2 jaunes d'oeufs, 1 paquet de poudre de pudding à la vanille, 1 cuillère à café de levure, 60 g. de raisins secs.

Garnir de la pâte n. 13 un moule à pâtisserie. Mélanger le fromage frais et la crème fraîche qui peut être remplacée par de l'eau; y ajouter le sucre, les jaunes d'oeufs, les raisins secs et en dernier lieu la poudre de pudding additionnée de levure. Verser cet apprêt dans le moule et mettre cuire ce gâteau pendant 1/4 d'heure au four éteint afin qu'il ne s'affaisse pas.

16) Boulettes au fromage frais

1.250 g. de fromage frais égoutté, 125 g. de gruyère, 125 g. de farine, 1 jaune d'oeuf, 2 cuillerées à soupe de sucre, 1 pincée de sel.

Mélanger le fromage frais et les ingrédients précités. Constituer avec cette masse des boulettes et les faire cuire dans de l'eau salée.

17) Soufflé de nouilles au grain complet

Faire bouillir les nouilles dans de l'eau salée. Garnir une

timbale à soufflé d'une couche de ces nouilles et parsemer de fromage aux herbes fines. Arroser les nouilles d'un mélange composé de deux jaunes d'oeufs, d'un peu de crème fraîche et de deux cuillerées à soupe de farine. Faire gratiner au four.

RECETTES DE REPAS A BASE DE RIZ

1) Soufflé au riz

Faire cuire et gonfler dans de l'eau 300 g. de riz non poli. Après avoir laissé refroidir, ajouter quatre jaunes d'oeufs, 50 g. de sucre, 1/4 l. de crème fraîche, 50 g. de raisins de Smyrne et deux bananes détaillées en rondelles. Garnir une timbale à soufflé de cet apprêt et y déposer de petites boules de beurre. Mettre cuire ce soufflé à température douce.

2) Petits gâteaux au riz

Faire cuire et gonfler dans de l'eau 300 g. de riz non poli et le mélanger avec des restes de légumes cuits. Former avec ce mélange des petits gâteaux, les saupoudrer de chapelure et les faire cuire dans la poêle.

3) Riz et asperges

300 g. de riz non poli, 1 kg. d'asperges, 30 g. de beurre.

Faire cuire les asperges détaillées en morceaux; le bouillon d'asperges servira à la cuisson du riz. Garnir une timbale à soufflé beurrée en alternant les couches de riz et d'asperges; déposer de petites boules de beurre sur cet apprêt et le mettre cuire à température douce.

4) Riz et chou-fleur

Détailler le chou-fleur en bouquetons et les faire cuire à moitié. Faire cuire et gonfler le riz dans le bouillon de chou-fleur. Garnir un moule PYREX beurré en alternant les couches de riz et de chou-fleur. Déposer sur cette masse de petites boules de beurre et mettre gratiner au four.

5) Riz aux fruits

300 g. de riz non poli, 1/2 l. d'eau, 1/4 l. de crème fraîche.
Farce: noisettes ou bananes ou myrtilles.
Faire cuire et gonfler le riz dans de l'eau jusqu'à ce qu'il soit devenu sec. Le mélanger avec la crème. Garnir un moule en verre en alternant les couches de riz et de fruits.

6) Riz avec divers légumes

Déposer sur un amas de riz cuit des légumes également cuits, par exemple des asperges, des petits pois verts, des carottes. Arroser le tout de beurre fondu et parsemer de persil haché fin.

7) Riz à la Trautmannsdorf

Faire tremper et cuire le riz dans de l'eau. Le mélanger avec du sucre, un peu de rhum, de la gélatine, de la crème fouettée et des bananes réduites en purée.

8) Riz au safran avec champignons

Etuver le riz dans de l'huile et des oignons; y ajouter de l'eau ou du bouillon de légumes. Assaisonner de safran.
Ce riz au safran mélangé avec des champignons étuvés, constitue un plat succulent.

e) RECETTES DE DESSERTS DESTINES AUX REPAS A BASE D'HYDRATES DE CARBONE

1) Fromage frais aux raisins secs

Passer le fromage frais à la passoire, le mélanger avec du sucre, un filet de crème fraîche, un jaune d'oeuf, quelques noisettes râpées et des raisins de Smyrne préalablement trempés.

2) Bananes rôties

Couper en deux les bananes dans le sens oblong, les rôtir légèrement dans du beurre et, avant de les servir, les saupoudrer d'amandes ou de noisettes hachées.

3) Myrtilles à la crème fouettés

Répandre du sucre non raffiné sur les myrtilles et les laisser reposer pendant 10 minutes environ; les garnir ensuite de crème fouettée.

4) Crème aux bananes

Réduire en putée 1 kg. de bananes mûres, y ajouter du miel à volonté et les mélanger avec 1/4 l. de crème fouettée et de la vanille. On peut garnir cette crème d'amandes mondées et râpées.

5) Crème aux bananes avec tomates

750 g. de bananes mûres, 500 g. de tomates mûres, 50 g. d'amandes râpées, 1/4 l. de crème fouettée.

Ebouillanter les tomates, les peler et les découper en tranches. Découper également les bananes en tranches. Placer alternativement sur un plat en verre les bananes et les tomates. Les parsemer d'amandes râpées et répandre par-dessus la crème fouettée.

6) Crème à la vanille

1/2 l. de crème fraîche, 70 g. de sucre, 4 jaunes d'oeufs, un peu de gélatine blanche.

Faire chauffer une petite partie de la crème et y faire infuser la vanille. Battre en neige les jaunes d'oeufs et le sucre, y ajouter crème et vanille chauffées, puis la gélatine fondue au préalable dans de l'eau chaude et enfin le reste de crème que l'on aura fouettée auparavant.

Mode d'emploi de la gélatine: la mettre tremper dans de l'eau froide, la faire fondre ensuite en chauffant l'eau que l'on remuera sans cesse. Utiliser de préférence des récipients en verre ou en porcelaine. Afin que la gélatine conserve son goût neutre, ne pas utiliser de récipient en métal.

7) Bananes à la crème fouettés

Réduire des bananes mûres en purée; assaisonner de vanille la crème fouettée à laquelle on aura ajouté un peu de miel. Bien mélanger ces ingrédients.

La préparation de ce dessert succulent s'effectue très rapidement.

8) Bananes flambées

Un plat particurièrement succulent.

Verser du sucre dans une poêle et le faire griller doucement, placer dessus les moitiés de bananes et quelques noisettes ou amandes découpées que l'on fera également griller légèrement; y ajouter un petit morceau de beurre et lorsqu'il sera fondu, arroser le tout d'un filet d'alcool, par exemple, Kirsch ou Cognac et faire flamber.

a) Sortir ensuite de la poêle les moitiés de bananes, les noisettes et le fond de cuisson.

b) On peut servir également entre les moitiés de bananes de la glace constituée de jaune d'oeuf, de crème fraîche et de vanille.

9) Glace à la vanille

Préparée avec:

4 jaunes d'oeufs, 65 g. de sucre, 1/2 l. de crème fraîche, vanille.

10) Glace aux noisettes

Ajouter à la recette précédente 150 g. de noisettes râpées.

11) Crème au chocolat

120 g. de chocolat râpé, 1/4 l. de crème fraîche, 1/8 l. d'eau, 3 jaunes d'oeufs, 1 cuillerée à soupe de miel.

Cuire doucement le chocolat pendant 10 minutes, ajouter les jaunes d'oeufs battus avec le miel et chauffer au bain-marie pendant 20 minutes en remuant avec une cuillère en bois.

Laisser refroidir et ajouter la crème fouettée. Servir dans des verres.

III - SALADES ET PLATS DE CRUDITES

1) Compositions de salades (à caractère neutre)

a) Faire mariner dans une vinaigrette ou dans une sauce aux tomates, des bouquetons de chou-fleur détaillés en petits morceaux et les étaler ensuite sur une couche de salade verte préalablement assaisonnée. Ces deux sortes de légumes peuvent également être mélangés.

b) Mélanger de la même manière de la salade verte et des concombres ou des cornichons, des tomates, des radis, des raiforts, des carottes, etc. et les assaisonner comme indiqué au point a).

c) Mélanger à parts égales du chou blanc coupé, du céleri haché et une vinaigrette. Servir sur des feuilles de salade verte.

2) Salades destinées aux repas à base de protéine

a) Salade de céleri-carottes

1 tasse de carottes râpées, 1 1/2 tasse de salade verte découpée, 1/2 tasse de céleri haché, 1/4 tasse de noisette râpées, 2 cuillerées à soupe de jus de citron, 1/2 tasse de mayonnaise.

Mélanger le céleri, les carottes, les noisettes et le jus de citron; ajouter la mayonnaise et servir sur des feuilles de salade verte.

b) Autres compositions

Carottes et pommes à parts égales
Céleri et pommes
Carottes, pommes, céleri, poireaux coupés fin
1/3 de raifort, 2/3 de pommes
2/3 de chou blanc, chou rouge ou choucroute et 1/3 de pommes
Céleri, raisins secs, pommes
Céleri, pommes, noisettes.

c) Faire chauffer un peu d'huile et des oignons, y ajouter de la choucroute finement hachée et des pommes découpées en petits morceaux; faire chauffer légèrement.

d) Voici un mélange particulièrement savoureux: des carottes crues râpées et un peu d'orange finement coupée.

3) Compositions de crudités (à caractère neutre)

Carottes - petits pois verts
Carottes - chou blanc - laitue
Céleri - tomates - laitue ou salade d'endive
Céleri - betterave rouge - salsifis
Céleri - betterave rouge - pommes
Céleri - tomates - champignons
Asperges - betteraves rouges - laitue
Tomates - concombres - chou-rave
Tomates - champignons
Concombre - raifort - tomates
Concombre - fenouil - chou-rave
Chou blanc - tomates
Chou blanc - betterave rouge - fenouil
Raifort - salsifis
Chou rouge - carottes - salade verte
Raifort - poireaux

IV - SOUPES

1) Bouillon aux légumes (Méthode fondamentale)

Découper en morceaux divers légumes, par exemple des carottes, du chou-rave, des poireaux, un peu de céleri, quelques oignons, y ajouter de l'eau froide et les faire étuver doucement. Passer ce bouillon au tamis et le laisser refroidir. Y ajouter du persil finement haché et laisser reposer ce bouillon au réfrigérateur, jusqu'à son utilisation.

Des tomates peuvent également être étuvées avec les légumes précités mais ce bouillon ne peut alors être consommé qu'aux repas à base de protéine.

2) Bouillon aux légumes

Lorsque en hiver on ne disposera que de peu de légumes frais, on préparera le bouillon suivant:

Etuver dans un peu de graisse, d'huile ou de lard, du céleri, des carottes, des poireaux, des oignons. Y ajouter de l'eau et faire bouillir doucement jusqu'à ce que les légumes soient à point.
Assaisonner le bouillon de sel marin, de Glutamate et d'un peu de poudre de paprika; y ajouter du persil finement haché et le consommer chaud. Si ce bouillon doit être utilisé à la préparation de soupes, il peut être conservé quelque temps au réfrigérateur.

3) Soupe aux légumes avec des pommes de terre crues

Faire étuver dans de la graisse divers légumes, selon la saison, avec des oignons coupés fins. Y ajouter de l'eau et faire bouillir cette soupe doucement. Lorsqu'elle sera à point et encore bouillante y ajouter une ou deux pommes de terre crues râpées qui ne doivent elles, pas bouillir dans la soupe. Lorsque la soupe sera terminée, l'assaisonner de Frugola ou protéines, de sel marin et — à volonté — de poudre de paprika.

4) Soupe aux haricots verts

Effiler 1 kg. de jeunes haricots verts; les détailler en petits morceaux et les étuver dans de l'huile et un peu de beurre; mouiller les haricots avec de l'eau en quantité suffisante pour qu'ils puissent bien baigner dans la cuisson; lorsqu'ils seront presque à point ajouter suffisamment de lait pour obtenir la quantité de soupe désirée. Lorsque les haricots seront cuits, ajouter à la soupe du sel marin et des petits morceaux d'oignons préalablement étuvés dans un peu de beurre.

Des fruits crus peuvent être consommés avant de manger cette soupe.

5) Soupe aux gruaux d'avoine

Faire bouillir quatre cuillerées à soupe de concentré

d'avoine dans de l'eau, et ajouter ensuite au bouillon de légumes décrit dans la précédente recette n. 2. Assaisonner à volonté.

On peut aussi faire bouillir brièvement dans de l'eau le concentré d'avoine — que l'on peut aussi remplacer par des flocons de froment — et y ajouter ensuite des raisins de Smyrne, préalablement gonflés dans de l'eau et de la crème fraîche.

6) Soupe aux oignons

Faire revenir dans du beurre des oignons finement hachés, y ajouter du bouillon de légumes et faire bouillir brièvement. Assaisonner.
Avant de servir la soupe, la lier avec un filet de crème fraîche et un jaune d'oeuf.

La soupe peut être saupoudrée de fromage râpé pour les repas à base de protéine.

Même mode de préparation pour:

7) La soupe aux poireaux

8) La soupe au cerfeuil

Une pomme de terre crue râpée peut être ajoutée à ces soupes lorsqu'elles sont encore chaudes. La pomme de terre elle-même ne doit pas être portée à l'ébullition.
Les soupes préparées ainsi ne conviennent toutefois pas aux repas à base de protéine.

V - SAUCES - MAYONNAISES

1) Vinaigrette

3 cuillerées à soupe d'huile d'olive et 1 cuillerée à soupe de jus de citron, assaisonnés d'un peu de sel marin et de Frugola (si vous pouvez vous en procurer): battre ce mélange jusqu'à le rendre homogène.
On peut ajouter à cette vinaigrette des épices ou des herbes fines à volonté, à savoir par exemple: du concentré de tomates, du fenouil haché fin ou des herbes de Provence.

2) Sauce piquante aux tomates

1/2 kg. de tomates mûres, un peu d'huile, un oignon, du sel marin, un filet de jus de citron, du basilic, de la sauge, de la poudre de paprika, du Frugola et une gousse d'ail (pressée).

Etuver doucement dans l'huile l'oignon coupé jusqu'à ce qu'il présente une coloration dorée, y ajouter les tomates détaillées en petits morceaux et ensuite 1/2 l. d'eau ou autre quantité à volonté. Assaisonner cette composition des ingrédients précités, de préférence à l'aide d'un mixeur ou appareil analogue.

Cette sauce convient prticuièrement bien aux repas comprenant du poulet cuit ou du poisson étuvé.

3) Sauce au beurre

Ajouter succesivement à 50 g. de beurre: 3 jaunes d'oeufs, du sel marin, un filet de jus de citron et 50 g. d'eau chaude. Cuire au bain-marie en remuant constamment à la cuillère en bois.

4) Sauce piquante

Des oignons, des carottes, des cornichons, 1 cuillerée à soupe de câpres, des champignons, 1 cuillerée à soupe de graisse et environ 50 g. de crème fraîche, un peu de céleri et un filet de jus de citron.

Cuire ces ingrédients saisis et étuvés pour obtenir un velouté que l'on passera au tamis. Ajouter à cette sauce de la crème fraîche.

5) Sauce aux poivrons

2 grands poivrons verts, 1 gousse d'ail, 1 cuillerée à soupe d'huile d'olive, 1 cuillerée à café de beurre, 3 tomates ou 1 cuillerée à soupe de concentré de tomates, un filet de jus de citron.

Préparer les poivrons de manière habituelle, les détailler en fines tranches et les étuver à l'huile. Ajouter les autres ingrédients et laisser reposer la sauce pendant 1 heure. Parfaire le goût de cette sauce en y ajoutant du jus de citron et du sel de céleri.

6) Sauce hollandaise

50 g. de beurre, 1 cuillerée à soupe de farine, 2 jaunes d'oeufs et du bouillon de légumes.

Ajouter la farine au beurre fondu ensuite le bouillon de légumes en remuant à la cuillère en bois; assaisonner de sel marin et de Frugola. Retirer la sauce du feu et y ajouter les jaunes d'oeufs en battant cette composition au fouet à oeufs.

7) Mayonnaise

a) 2 cuillerées à soupe d'huile d'olive, le jus d'un citron, 2 jaunes d'oeufs crus, un peu de sel marin.

Utiliser ces ingrédients au sortir du réfrigérateur. Mélanger, en les remuant, les jaunes d'oeufs et le sel marin. Y ajouter — goutte à goutte — l'huile et le jus de citron. Affiner la mayonnaise en y ajoutant du yogourt. La laisser reposer au réfrigérateur.

b) 5 cuillerées à soupe d'huile d'olive, 5 jaunes d'oeufs, le jus d'un citron, un peu de sel marin, 5 cuillerées à soupe d'eau.

Mélanger ces ingrédients en les remuant, les battre jusqu'à rendre la masse épaisse et la laisser reposer ensuite au réfrigérateur jusqu'à son utilisation.

Différents ingrédients — au choix — peuvent modifier cette mayonnaise, par exemple, la poudre de paprika, le concentré de tomates ou les herbes fines hachées.

VI - LEGUMES

1) Concombre étuvé

Un concombre, un peu d'huile, des oignons, du sel marin et du Frugola.

Eplucher le concombre, le détailler en gros dés et les faire étuver à l'huile avec les oignons, mouiller d'un peu d'eau. Lorsque les morceaux de concombre sont à point, y ajouter le sel marin et du Frugola.

N.d.T. - Si vous ne trouvez pas de Frugola dans les magasins de diététique, demandez un autre produit à base de protéines.

2) Chou-fleur sauté

Détailler un chou-fleur en bouquetons et les cuire à moitié, les paner de farine de soja préalablement délayée dans de l'eau et les faire cuire ensuite dans de l'huile.

3) Aspic de légumes

Garnir de morceaux de légumes un moule en verre beurré, les mouiller de bouillon de légumes contenant du jus de citron et de la gélatine. Laisser reposer au réfrigérateur.

Cette gelée pourra être démoulée ou détaillée en morceaux.

4) Salsifis à la crème fraîche

a) Cuire dans de l'eau des salsifis découpés en morceaux, les faire égoutter dans une passoire.
Faire chauffer la crème fraîche, y ajouter les salsifis et les laisser infuser doucement. Le bouillon de salsifis servira à la préparation d'une soupe.

b) Faire étuver dans du beurre les salsifis préparés de la manière précitée, les mouiller d'un peu d'eau et de crème fraîche et les faire cuire.

c) En ajoutant du jaune d'oeuf à ces deux genres de compositions l'on pourra en préparer un soufflé.

5) Choucroute bavaroise

Faire revenir des oignons dans un peu de lard, y ajouter le chou blanc haché. Mouiller d'un peu d'eau et d'un filet de vin blanc (éventuellement d'un peu de vinaigre aux fruits), faire étuver juste à point.

Assaisonner de cumin entier ou moulu, d'un peu de sel marin, de Frugola et de saccharine.

6) Plat de poivrons

Etuver doucement à parts égales des poivrons verts, des pommes, des tomates et quelques oignons découpés en morceaux, en y ajoutant très peu d'eau.

Assaisonner de cumin moulu, de poudre de paprika, de

poudre de tomates, de thym, d'ail, de basilic, de Frugola et de sel marin.

7) Bulbes de fenouil

Découper en deux les bulbes de fenouil, les étuver dans un peu d'eau assaisonnée de sel marin et de jus de citron. Verser pas-dessus la sauce préparée de la manière suivante:
Dorer légèrement de la farine de soja mélangée avec de la margarine, mouiller d'un peu d'eau et y ajouter du thym, du Frugola, du fromage fondu (ce dernier se délaye à la cuisson).
Garnir finalement le plat d'herbes de fenouil.

8) Courgettes

Etuver des oignons dans de la margarine, étuver également très brièvement des tranches de courgettes.
Assaisonner de jus de citron, d'ail, de cumin moulu, de poudre de tomates, de cerfeuil, de persil, de Frugola et de sel marin.

9) Chou brocoli

Détailler le chou brocoli en fleurs et en garnir la marmite à pression.
Assaisonner de cumin moulu et d'un peu de Frugola.
Faire cuire pendant 5 à 8 minutes à la vapeur et arroser goutte à goutte de beurre fondu. (Servir avec des pommes de terre).

Les indications suivantes concernent les épices:

Le sel de céleri, qui ne contient que 6% seulement de sel de cuisine est mieux approprié à l'assaisonnement que le sel de cuisine pur.

Tous les plats peuvent être considérablement améliorés par des herbes fines indigènes et exotiques. Les herbes fines indigènes les plus usitées sont: le basilic, l'armoise, la bourrache, le fenouil, l'estragon, le cerfeuil, l'ail, le cumin, le poireau, la marjolaine, le persil, la menthe, la pimprenelle, la sauge, la ciboulette, le céleri, le thym, l'absinthe et les oignons.

En tant qu'épices exotiques, nous utilisons essentiellement le curry, la noix de muscade, le clou de girofle, le paprika, le cardamome et la cannelle.

Les plantes herbacées sont également à notre disposition, à savoir, les orties, le cresson, les dents-de-lion, l'oseille, l'achillée.

Il est préférable d'utiliser les plantes herbacées sans autres épices.

VII - COMPOSITIONS A TARTINER

1) Beurre aux fines herbes

Hacher finement différentes herbes fines, les délayer dans du jus de tomates et mélanger doucement ces ingrédients avec du beurre fondu.

Conserver cette composition au réfrigérateur jusqu'à son utilisation.

2) Beurre à base de jaune d'oeuf

Ecraser à l'aide d'une fourchette du jaune d'oeuf cuit, encore chaud, et y ajouter peu à peu du beurre (au lieu du beurre il est préférable d'utiliser des graisses végétales à leur état naturel: Eden, Vitaquell, graisses végétales, etc.) et en dernier lieu de la ciboulette finement hachée. Cette composition peut être assaisonnée éventuellement d'un peu de Frugola.

RETENONS:

1) Afin de rendre les salades plus digestibles, il est conseillé de les préparer sans élément acide. Préparer les vinaigrettes à l'aide d'huile, de sel, d'herbes fines, de vinaigre aux fruits, de babeurre ou de lait caillé.
2) Toutes les recettes ont été conçues pour des repas à quatre ou cinq personnes.
3) Les personnes souffrant de maladies cancéreuses

remplaceront la viande par le fromage frais, celle-ci ne leur convenant pas.

4) Pour le lavage et la cuisson des fruits, salades et légumes, il est recommandé d'utiliser le Biosmon vendu dans les magasins d'alimentation de régime.

5) Il est conseillé de ne plus consommer de fruits surs à partir du repas de midi, parce qu'ils ne conviennent pas avec les hydrates de carbone.

   Celui qui mangera des hydrates de carbone à partir de 15 heures et consommera son dernier repas d'hydrates de carbone à 18 heures, ne devra pas renoncer à sa pomme à 22 heures, à moins qu'il n'ait une digestion trop lente et qu'il soit par conséquent indiqué pour lui de supprimer les fruits surs pour donner la préférence à la banane.

ALIMENTATION DISSOCIEE SIGNIFIE LA DISSOCIATION DE LA PROTEINE ET DES HYDRATES DE CARBONE AU COURS D'UN REPAS

par exemple le matin:

1 mélange de céréales composé comme suit:
1 à 2 cuillerées à soupe de fromage frais maigre,
1/2 cuillerée à soupe de germes de blé,
1 cuillerée à café de graines de lin (Linusit, vendu dans les magasins d'alimentation de régime),
1 pomme râpée,
1 cuillerée à café d'huile Becel ou de chardon ou d'une autre huile végétale battue à froid

ou

du pain complet, du beurre comme d'habitude et éventuellement du fromage frais, ou du jus de fruit lorsque le lait et le fromage frais sont mal digérés.

par exemple à midi:

une sorte des aliments suivants:
viande

avec un genre de légume cuit (cf. colonne centrale du tableau page 46 et un genre de fruit

poisson fromage oeufs lait fromage frais	(cf. colonne droite du tableau précité) en tant que dessert. Des plats de fromage frais ou avec des fruits surs, de la saccharine et de la gélatine peuvent également constituer le dessert.

par exemple le soir:

un genre des aliments suivants: céréales pain nouilles riz pommes de terre chou vert fromage frais	avec une sorte de légume et des salades crues qui sont rassasiantes avec pour garnitures: du fromage frais maigre, ou du boudin. Dessert constitué soit de: bananes, figues, raisins secs, noisettes, miel, sirop de betteraves sous une forme quelconque ou bananes rôties avec des noisettes, soit de plats de fromage frais avec des myrtilles, ou de jus Sanddorn ou de babeurre battu avec des bananes et du yogourt.

MALADIES GUERIES PAR L'ALIMENTATION DISSOCIEE

Les antécédents commémoratifs détaillés ci-après indiquent la manière dont l'Alimentation Dissociée d'après HAY produit son effet.

Voici la description de différents cas de maladies au cours du traitement médical desquelles d'autres médications ont pu être appliquées outre l'Alimentation Dissociée. Les résultats de ces différents traitements se dégagent des cas de maladies relatés plus loin. Chacun des contrôles thérapeutiques a été effectué par le diagnostic d'après CROON.

Premier cas - NEPHRITE

Par un traitement comprenant une cure de jeûne en relation avec des jus de fruits et ensuite l'alimentation d'après BIRCHER, j'avais essayé, en 1939, de guérir le fils d'un de mes amis, un garçon de 9 ans, souffrant d'une néphrose et de symptômes de cirrhose rénale.

Ce traitement échoua. Bien qu'après la cure de jeûne et de jus de fruits le taux de protéine baissât, il augmenta cependant à nouveau directement avec la consommation de l'alimentation complète selon BIRCHER.

Estimant que, pour un garçon de 9 ans, je ne pouvais assumer au-delà de six semaines la responsabilité d'une cure de jeûne et de jus de fruits, je confiai l'enfant au Professeur VOLHARD, spécialiste reconnu dans ce domaine.

A la suite de l'amygdalectomie, il ne se manifesta pas non plus la moindre amélioration. VOLHARD estima que l'enfant était condamné et il entreprit une dernière tentative à HELUAN en Egypte. Mais la chaleur n'apporta à l'enfant ni une meilleure élimination de l'urine, ni une diminution du taux de protéine, au contraire ce dernier augmenta jusqu'à 20% et l'élimination urinaire diminua dans la même proportion. Sérum animal et glycine envoyés à HELUAN enrayèrent complètement l'appétit de l'enfant et manquèrent leur effet.

En 1939, ma femme — par l'intermédiaire d'une parente américaine — apprit à connaître l'alimentation d'après HOWARD HAY. En raison de sa propre maladie rénale, HAY réalisa une nouvelle conception de l'alimentation judicieuse, et parvint à guérir effectivement par là sa propre maladie rénale de Bright. Ma femme traduisit son oeuvre en allemand et nous prîmes la décision de traiter par l'Alimentation Dissociée d'après HAY l'enfant, revenu entre-temps d'Afrique.

Il se produisit alors un phénomène étonnant: le taux de protéine de l'enfant baissa de 50% déjà après le premier repas. Il diminua ensuite plus lentement, mais dans la mesure où il baissa, l'élimination de l'urine augmenta dans la même proportion, sans que l'enfant n'ait absorbé un seul médicament. L'alimentation d'après HAY, avec sa richesse en fruits et légumes, ne fut pas réalisable en Allemagne pendant la guerre et pour cette raison l'enfant fut transféré à DAVOS.

Lorsque VOLHARD ordonna également pour certains de ses malades à DAVOS l'alimentation basée sur mes indications, les monnaies étrangères nécessaires furent autorisées par le «Reich».

Le garçon devenu sportif et bon skieur revint, à l'âge de 19 ans, en bonne santé, dans son pays natal.

CE CAS PROUVE DE MANIERE EVIDENTE QUE DES MALADES SOUFFRANT DE MALADIES RENALES PEUVENT ETRE TRAITES EFFICACEMENT A L'AIDE DE L'ALIMENTATION DISSOCIEE.

AFIN DE PARER A TOUT MALENTENDU IL Y A LIEU DE SIGNALER TOUTEFOIS QU'EN CAS DE TROUBLES TRES ACCENTUES DU FONCTIONNEMENT RENAL, D'AUTRES MESURES, QUI REQUIERENT UN TRAITEMENT EN RAPPORT AVEC LA NEPHROLOGIE, SERONT NECESSAIRES.

Deuxième cas

Un homme âgé de 64 ans, Monsieur D., domicilié à K., veuf vivant seul, avait déjà suivi un traitement médical pour cause de néphrite chronique, d'insuffisance rénale, d'hydropisie, de syndrome néphrotique avec des tuméfactions des jambes qui ressemblaient à de gros poteaux, ces tuméfactions atteignant les organes génitaux ainsi que l'articulation de la hanche.

Malgré des doses quotidiennes de tablettes diurétiques, il ne se manifesta aucune amélioration des oedèmes.

Les dates laboratoires de ce malade, au moment de son entrée à ma clinique étaient les suivantes: vitesse de sédimentation 177/123, albuminerie 5%, créatinine 4,5 mg.%, cholestérine 579 mg.%, protéines totales dans le sang 4 mg.%.

Thérapeutique: A l'aide de l'Alimentation Dissociée, de la thérapeutique électroneurale et d'autres mesures médicales, les oedèmes furent évacués durant le séjour du malade dans ma clinique, qu'il quitta en ne ressentant plus le moindre malaise.

Les tests de laboratoire à son départ de ma clinique après six semaines de traitement ont été les suivantes: augmentation des protéines totales dans le sang à 6%, cholestérine normalisée à 275 mg.%, diminution de la créatinine à 1,2 mg.% (taux presque normal), vitesse de sédimentation 22/30, l'urine était exempte de protéine. Perte de poids de 14 kg. Des tablettes diurétiques ne furent plus nécessaires.

Depuis deux ans l'amélioration se poursuit. Tous les oedèmes sont restés évacués. L'intéressé se conforme rigoureusement aux règles de l'Alimentation Dissociée et il fait de grands voyages.

Résultat de la dernière sédimentation lors de l'examen de contrôle en juin 1980: vitesse de sédimentation 17/30. Ses propres commentaires:

«Je peux manger, danser, marcher et voyager! Je suis heureux de pouvoir effectuer moi-même mes travaux ménagers».

1) Test au début du traitement médical
2) Test lors du départ de l'intéressé de ma clinique.

Troisième cas

Madame K., domiciliée à M., diabétique âgée de 48 ans, souffrait d'une néphrite. Elle était incapable d'effectuer ses travaux ménagers et en marchant elle ne pouvait plus actionner les articulations de ses doigts de pieds; elle souffrait en outre, de tuméfaction des jambes allant jusqu'au secteur de la hanche et la région lombaire.

SUCRE SANGUIN, A JEUN 280 mg.%, acide urique 9,3 mg.%, cholestérine 356 mg.%.

Quotidiennement 86 unités d'insuline.

LORS DE SON DEPART DE MA CLINIQUE: Doses quotidiennes d'insuline de 54 unités encore seulement, sucre sanguin à jeun 140 mg.%, acide urique normalisée et les lipides du sang également, réduction du poids de 35 kg.

Quatrième cas

Un homme âgé de 45 ans, curé R., domicilié à L. après avoir sauté par-dessus un fossé, souffrait de douleurs aux pieds, aux genoux, dans les articulations et dans la région lombaire. Il suivit pendant 8 ans, sans succès, un traitement composé de toutes les méthodes cliniques.

Les troubles de la démarche s'accentuèrent et l'handicapèrent de plus en plus dans son travail.

Au cours d'un traitement ambulant il se conforma à l'Alimentation Dissociée et il fut soumis à la thérapeutique électroneurale.

APRES SIX MOIS DE TRAITEMENT AMBULANT, CES AFFECTIONS PHYSIQUES DISPARURENT à la surprise des orthopédistes qui lui avaient prédit le fauteuil roulant.

Cinquième cas

Madame D., domiciliée à G., âgée de 38 ans, tombée sur le coccyx, il y a 5 ans, souffrait constamment depuis lors de douleurs lorsqu'elle se tenait debout et quand elle marchait. Elle ne pouvait s'asseoir que sur une fesse.

Plus de 40 piqûres reçues dans 7 différentes cliniques spécialisées ne lui apportèrent aucun soulagement. Elle ne pouvait plus s'occuper de son ménage et sa vie conjugale était menacée.

Je soumis la malade à un traitement d'abord ambulant et ensuite clinique et APRES UNE DUREE DE TRAITEMENT TOTALE DE TROIS MOIS ELLE PUT QUITTER MA CLINIQUE EN ETANT DELIVREE DES AFFECTIONS QUI L'AVAIENT ACCABLEE.

Sixième cas

Madame N., domiciliée à S., après avoir subi une coxotomie endoprothèse des deux côtés, me consulta en raison de douleurs névralgiques postopératoires permanentes.

Les douleurs résultaient de l'étranglement d'un nerf. Elle ne ressentait plus ni stabilité, ni aucune sensation dans les jambes et était devenue incapable de s'occuper de son ménage et de ses trois enfants.

TRAITEMENT: ambulant en appliquant l'Alimentation Dissociée, la thérapeutique électroneurale et la thérapeutique neurale.

RESULTAT DU TRAITEMENT: SES AFFECTIONS ET DOULEURS PHYSIQUES DISPARURENT COMPLETEMENT.

Septième cas

Monsieur D., domicilié à B., camionneur, me consulta la première fois pour un traitement ambulant, parce qu'il souffrait de douleurs dans la tête, dans les articulations et dans le dos.

Ses médecins le considérant comme simulateur, le déclarèrent apte au travail. Des cures médicales et d'autres thérapeutiques n'apportèrent aucune amélioration de son état.

Je le traitai par l'Alimentation Dissociée, la thérapeutique électroneurale et la thérapeutique neurale d'après HUNEKE.

RESULTAT OBTENU APRES UN TRAITEMENT D'UNE DUREE DE SIX MOIS: DISPARITION DE SES AFFECTIONS PHISIQUES JUSQU'A SA MISE A LA RETRAITE A L'AGE DE 65 ANS. Après avoir été considéré comme simulateur par le médecin-conseil, celui-ci fut enfin convaincu que l'intéressé ne visait pas une mise à la retraite prématurée.

Huitième cas

Madame R., domiciliée à G., institutrice, souffrait de polyarthrite. Une thérapeutique antirhumatismale habituelle — comprenant également la chrysothérapie — appliquée pendant de nombreuses années dans plusieurs cliniques ne lui apporta aucun soulagement.

Lorsqu'elle me consulta pour un traitement ambulant, je constatai:

Vitesse de sédimentation 45/60 et tuméfactions graves et douloureuses des articulations.

Elle se conforma rigoureusement à l'Alimentation Dissociée et fut traitée avec l'appareil de CROON.

RESULTAT DU TRAITEMENT APRES UNE DUREE DE SIX MOIS:

TOUTES LES ARTICULATIONS DESENFLEES ET LES DOULEURS DISPARUES. ELLE PUT A NOUVEAU MONTER DES ESCALIERS, EXERCER SON ACTIVITE PROFESSIONNELLE ET FAIRE DU SKI, CONTROLE APRES DEUX ANS: RAPPORT MEDICAL INCHANGE ET BON.

Neuvième cas

Un garçon âgé de 4 ans, domicilié à H., opéré d'une tumeur maligne de l'omoplate (sarcome), et après un traitement aux rayons, souffrait d'une récidive; il me fut amené par ses parents aux fins d'un traitement ambulant. Se conformant à mes prescriptions, ils appliquèrent l'Alimentation Dissociée à leur enfant, qui fut soumis en outre à la thérapeutique électroneurale par intervalles en traitement ambulant.

La récidive aboutit à la guérison. L'enfant gagna du poids. Des contrôles réguliers eurent lieu à l'aide du somatogramme électroneural.

Il s'avéra que parallèlement à l'amélioration du somatogramme l'enfant se développa de manière excellente et QUE DEPUIS SIX ANS IL EST EXEMPT DE RECIDIVE. LE DERNIER CONTROLE A ETE EFFECTUE EN 1980.

Dixième cas

Un garçon de 15 ans, domicilié à W., souffrait d'un sarcome prostatique, tumeur jusqu'au centre de l'ombilic.

Il me consulta d'abord — il y a plus de 10 ans — pour un traitement ambulant; d'après la constatation clinique, il ne lui restait plus alors que 3 mois à vivre.

THERAPEUTIQUE: Alimentation Dissociée, thérapeutique électroneurale selon CROON, renforcées par d'autres mesures médicales; ARRET DE CROISSANCE DU SARCOME, contrôle urologique.

RESULTAT APRES DIX ANS: marié, chef de service dans une entreprise; malgré la tumeur, il lui est possible d'exercer son activité professionnelle. La thérapeutique clinique appliquée par intervalles dans ma clinique est toujours approuvée par la Caisse de maladies.

Onzième cas

Monsieur O., domicilié à Sch. âgé de 43 ans, souffrant d'insuffisance cardiaque, d'asthme bronchique et ayant suivi pendant de nombreuses années un infructueux traitement aux antibiotiques, etc., n'était plus à même d'exercer dans certaines branches sa profession d'architecte et n'avait d'autre ressource que l'inhalation permanente de médicaments qui ne lui apportaient d'ailleurs que très peu de soulagement.

En raison d'anhélation aigue, des hospitalisations furent

même souvent ordonnées par les médecins du service médical d'urgence alors consultés.

THERAPEUTIQUE: Alimentation Dissociée, thérapeutique électroneurale, renforcées par de légers médicaments.

RESULTAT: EXEMPT DE CES AFFECTIONS DEPUIS 6 MOIS.

Douzième cas

Madame B., domiciliée à B., âgée de 62 ans, épouse d'un médecin, était restée pendant plusieurs mois dans une clinique universitaire, en 1977, et lorsqu'elle la quitta, elle n'était pas guérie. Elle ne pouvait ni faire ses travaux ménagers, ni aider son mari à son cabinet de consultations. Elle dut en prendre son parti.

Deux ans plus tard, elle me consulta la première fois pour un traitement ambulant. Les résultats du test de sécrétine et de l'électrocardiogramme étaient empreints respectivement d'un caractère pathologique. Elle souffrait en outre d'emphysème pulmonaire et de sclérose de l'aorte.

Au début du traitement, c'était essentiellement le somatogramme électroneural qui présentait un caractère pathologique. Ultrasonodiagnose: suspicion de pancréatite chronique, grossissement de toutes les parties du pancréas.

THERAPEUTIQUE: Alimentation Dissociée, thérapeutique électroneurale, renforcées par d'autres mesures médicales.

RESULTAT APRES SIX MOIS: EFFICIENCE PHYSIQUE INTEGRALE («Il m'est possible de travailler comme avant»).

SOMATOGRAMMES AU DEBUT ET A LA FIN DU TRAITEMENT: Nette amélioration.

Ces douze cas constituent des extraits provenant d'un grand nombre de cas empreints de caractéristiques analogues et ayant abouti à des résultats de traitement identiques ou similaires; ils ont été pris au hasard parmi plus de 100.000 cas décrits dans mes archives et ils donnent un aperçu de mes mesures thérapeutiques ainsi que de l'effet qui en résulte.

SUCCES DE L'ALIMENTATION DISSOCIEE EN CAS DE DIABETE

La lettre suivante a été publiée en 1958 dans le «Industriekurier», Düsseldorf, lors d'une critique du livre du Dr. WALB: «L'Alimentation Dissociée d'après HAY».

En tant que malade souffrant depuis six ans d'un diabète sucré très compliqué, pour lequel tout essai de stabilisation échoua malgré plusieurs traitements stationnaires, et ayant subi de ce fait des pertes importantes infligées dans le domaine professionnel avec les dommages économiques qui en découlent, je vouai évidemment le plus grand intérêt à l'article de KNOCHE (paru au n. 122, page 12, du 10.8.1957 et au n. 142, page 13, du 14.9.1957); je me procurai la littérature mentionnée, dans la mesure où elle était disponible, et me conformai, mi-octobre, aux principes de l'alimentation dissociée. Après une période de quatre mois environ, je désire décrire maintenant le succès remporté au grand étonnement de mes médecins:

sucre sanguin de 350 mg.% environ diminué à 100 mg.% (taux normal de 80 - 120); sucre diabétique de 6 à 8% et élimination quotidienne à concurrence de 120 g., représentant 30 à 40% de la consommation d'hydrates de carbone, diminué à 1 - 0%; quantité d'urine quotidienne de 6 à 7 litres diminuée à moins de 2 litres.

Augmentation de poids: 500 g. à 1 kg. par semaine

à savoir 6 kg. dans l'ensemble; diminution de poids précédente: 20 kg.; les états d'excitation, résultant de l'hyperglycémie, qui me faisaient perdre contenance, effrayaient mon entourage et me causèrent d'immenses souffrances psychiques, ont presque complètement disparu; j'ai maintenant l'esprit serein et bien équilibré, j'ai retrouvé mon humour, je ressens la joie de vivre, la chaleur et la force physique et je dispose d'une capacité intellectuelle dépassant celle de ma jeunesse. Médicaments: réduits de 50 unités d'insuline à action prolongée à zéro ou, le cas échéant, à 4 à 8 unités en tant que soutien, occasionnellement (les insulines retard ainsi que le médicament danois NOVOLENTE ne me convenaient pas parce qu'ils conduisaient à d'insidieux chocs permanents), le nombre de tablettes NADISAN, qui était de 3 - 4 et parfois même 5, réduit maintenant à 2 - 3. L'inflammation des muqueuses buccales a disparu. La vue est redevue normale, conformément à mon âge, j'ai 55 ans. La digestion s'est normalisée, sans utilisation de purgatif; le ventre distendu, l'épigastralgie et les troubles du foie ont disparu. Quantités d'aliments illimitées mais équilibrées. Consommation quotidienne de 350 - 500 hydrates de carbone. Mais la faim torturante cesse maintenant et depuis quelques semaines trois repas par jour me suffisent effectivement, le gain de poids se poursuit toutefois encore et continuera sans doute jusqu'à ce que soit atteint le nouveau poids adapté à ma constitution physique. La consommation de substances de protéine et de graisse atteignait auparavant la quantité élevée de 200 à 250 g. par jour, mais elle diminue également à l'heure actuelle. Mes besoins de Pancréon, en raison d'une insuffisance du pancréas, se trouvent réduits déjà de 30%. Dans l'ensemble, je préfère

la nourriture très simple.

Ayant été précédemment assez grand consommateur de viande, 150 g. une fois par semaine me suffisent maintenant.

Je ne mange plus de saucisse, car je n'en éprouve effectivement plus le besoin dans le cadre de mon plan de l'Alimentation Dissociée, Je clôturerai ici ce descriptif, afin que l'on ne me prenne pas pour quelqu'un de dithyrambique. J'ajouterai néanmoins encore que, dans la mesure du possible, je recueille quotidiennement mon urine pour en déterminer le contenu de sucre à l'aide du produit anglais «Clinitest», disponible en pharmacie mais malheureusement assez onéreux parce qu'il n'existe pas encore de produit allemand de ce genre. Je ne sais si j'aboutirai à la guérison du diabète, considéré comme incurable actuellement, bien que le processus presque révolutionnaire qui se développe en moi ne soit pas encore arrivé à sa fin, ce qui me permet de nourrir toujours cet espoir téméraire. De toute façon, je continuerai à pratiquer l'Alimentation Dissociée, non seulement en raison du succès remporté du point de vue diabétique, mais également à cause de la sensation de bien-être général que j'éprouve avec une intensité accrue presque incroyable. Je pense en effet que l'Alimentation Dissociée peut devenir

LA METHODE D'ALIMENTATION DE L'AVENIR

à savoir essentiellement pour les personnes d'un certain âge, même si leur santé est encore bonne.

Les diabétiques parmi vos lecteurs, qui sont certes légion, vous seront reconnaissants de publier cette lettre, si possible sans l'abréger.

Le diabète sévit comme une épidémie; presque chaque mois l'une de mes connaissances ou l'un de mes parents se révèle comme nouveau diabétique. Il n'existe pas de statistique officielle à ce sujet, parce que cette maladie n'est pas soumise à déclaration obligatoire. Des estimations prudentes et fondées indiquent 400.000 à 500.000 cas en R.F.A., plus de 10.000 à Berlin-Ouest et un nombre équivalent à Berlin-Est et en R.D.A., bien qu'ici la nourriture ne soit pas aussi opulente qu'à l'Ouest. D'ailleurs NUSCHKE souffrait lui aussi du diabète et mourut de la manière "normale" pour un diabétique, à savoir d'une affection cardiaque.

Et me voici arrivé au point essentiel: les remerciements que je désire adresser à vous-même et au Dr. KNOCHE pour la publication de l'article sur l'Alimentation Dissociée. Vous comprendrez sans doute qu'à cet effet mon éloquence habituelle me fasse cette fois-ci défaut.

Il faut avoir souffert aussi terriblement que moi pour pouvoir se rendre compte des sentiments que j'éprouve. Depuis des années, je ne pensais qu'au suicide et me voilà maintenant revenu sur terre. Cette lettre, je vous l'ai écrite mille fois déjà en pensée, mais je voulais encore et toujours prouver les faits car je suis habitué à travailler de manière autocritique. A l'heure actuelle, le succès partiel est définitivement acquis et il est à lui seul si grand que je serais prêt à m'en contenter.

K.K. Berlin

Ce cas pourrait servir d'exemple dans beaucoup d'autres situations analogues. Il en ressort qu'un organisme maladif bénéficie seulement d'une digestion facilitée lorsque le repas ne contient qu'un aliment concentré. Par suite de la digestion rendue ainsi plus facile, l'organe malade peut se rétablir. La preuve en est apportée également par d'autres cas de maladies traitées avec succès à l'aide de l'Alimentation Dissociée.

Une preuve de l'exactitude de la conception de HAY est fournie de manière remarquable, même aux profanes, par les malades souffrant de maladies rénales et les diabétiques, dont les éliminations sont améliorées de manière mesurable lorsqu'ils se conforment à l'Alimentation Dissociée. Cela a été constaté de manière évidente dans notre clinique.

Nous avons pu confirmer les constatations émanant de HAY, dont les preuves lui furent fournies par des milliers de cas de maladies.

Après une période de six ans de traitement clinique et de 20 ans de traitement ambulant, nous avons constaté que de 98 cas de maladies rénales non influencées par un traitement clinique, 18% seulement ont abouti à la mort, alors que 80% ont présenté des résultats de traitement favorables. Les dates laboratoires de ceux des diabétiques qui se conformèrent à l'Alimentation Dissociée s'améliorèrent, leur besoin d'insuline diminua ou ils en furent même affranchis au cours des années. L'effet exercé par l'Alimentation Dissociée sur d'autres cas analogues à ceux décrits plus haut continua à se confirmer. Nos propres observations recueillies en clinique ont été complétées par de nombreuses lettres rapportant les mêmes expériences favorables acquises à l'aide de l'Alimentation Dissociée.

SUCCES DE L'ALIMENTATION DISSOCIEE EN CAS DE CIRRHOSE RENALE

La lettre suivante adressée à la rédaction du «Mainzer Allgemeine Zeitung», a été publiée le 8.4.81 consécutivement à la publication de l'article «L'affaire de l'Alimentation Dissociée d'après HAY».

Le diagnostic clair de l'urologue précisait: cirrhose rénale. Les traitements appliqués par les médecins spécialistes ainsi qu'une cure médicale effectuée dans une station balnéaire reconnue pour le traitement des affections rénales n'apportèrent aucune amélioration à mon état. C'est par hasard que le livre du Dr. Ludwing WALB "l'Alimentation Dissociée d'après HAY" me tomba entre les mains. C'est uniquement par l'application stricte de ce mode de nourriture que j'ai abouti, après un certain temps, à une amélioration remarquable de l'état de ma maladie; il a été possible par ailleurs de renoncer à l'intervention chirurgicale jugée déjà nécessaire. Les résultats des examens du sang se situent entre-temps dans le domaine normal et le fonctionnement rénal s'est accru de manière considérable. Ceci constitue un fait qui, à mon avis, donne un caractère superflu à des questions d'ordre secondaire comme par exemple à savoir si, compte tenu des préceptes de la science alimentaire, les myrtilles présentent un caractère neutre ou non. En conclusion, je désirerais constater encore qu'il ne s'agit pas en ce qui me concerne d'un cas isolé. Malheureusement, l'Alimentation Dissociée jouit depuis peu seulement d'une certaine popularité. Il serait cependant regrettable que des personnes qui s'y intéressent renoncent à sa mise en application ou fassent preuve d'un manque d'assurance à cet égard, en raison d'articles tels que le vôtre, paru dans votre édition du 7.4.1981.

D.W. Mayence

Le but de l'édition de ce livre visait uniquement l'interprétation et la vérification clinique des théories de HAY. C'est donc à dessein également que n'ont pas été apportées de modifications spéciales au tableau des aliments (pages 50/51).

La manière efficace dont la dissociation de la protéine pure et des hydrates de carbone produit déjà à elle seule son effet est prouvée par les statistiques émanant de ma clinique, par l'expérience qu'ont acquise les malades, ainsi qu'entre autres par la lettre précitée adressée à la rédaction du journal en question.

Mes propres expériences cliniques recueillies depuis 25 ans environ à l'aide de l'Alimentation Dissociée confirment sans cesse les expériences favorables acquises par le Dr. HAY.

RESULTAT D'UN EXAMEN SCIENTIFIQUE DE L'ALIMENTATION DISSOCIEE

1) MM. Otto HAUSWIRTH, Docteur en médecine, spécialiste en médecine physique, à Vienne, et Franz KRACMAR, Professeur Docteur Ingénieur, Vienne, donnent dans le périodique "Erfahrungs-heilkunde" 1959, Brochure n. 5, pages 205 - 208, un compte rendu de leurs examens.

   Ils aboutissent à l'interprétation suivante du mécanisme d'action de l'Alimentation Dissociée d'après HAY:

   1. Les hydrates de carbone et la graisse respectivement

les substances de protéine et la graisse offrent chacun de leur côté des potentiels bioélectriques positifs.

2. En mélangeant les hydrates de carbone et les substances de protéine il se présente des potentiels positifs beaucoup plus élevés parce que les potentiels du même signe des deux substances alimentaires s'additionnent.

L'Alimentation Dissociée d'après HAY empêche cet excédent nuisible du positif, d'où encore d'autres avantages de l'Alimentation Dissociée.

2) Dans son livre remarquable — L'intestion malade — le spécialiste des maladies internes REINSTEIN confirme également l'efficacité de l'Alimentation Dissociée.

3) D'après FORSGREN, l'Alimentation Dıssociée correspond au rythme biologique du foie lorsque l'on consomme à midi le repas à base de protéine et durant l'après-midi le repas à base d'hydrates de carbone.

4) ZABEL confirme à l'aide d'essais métaboliques qu'une digestion meilleure se manifeste grâce à l'application de l'Alimentation Dissociée.

5) Certains sportifs professionnels confirment que l'efficience physique s'accroit et que les phases de repos sont plus courtes lorsque l'on se conforme à l'Alimentation Dissociée.

6) La fatigue après les repas diminue.

7) De tous les modes d'alimentation qui me sont connus, l'Alimentation Dissociée conduit à la diurèse optimale et par là à la décharge des reins, du coeur et de la circulation sanguine.

8) L'amélioration des dates laboratoires en cas de maladies rénales et de diabète est particulièrement apparente.

9) Normalisation du poids du corps.

10) Les remèdes cardiaques et autres sont plus efficients lorsque l'on se conforme aux règles de l'Alimentation Dissociée.

D'après un exposé sur

L'ALIMENTATION DISSOCIEE D'APRES HAY

à l'occasion du 32ème Congrès des médecins du naturisme à Freudenstadt, du 11 au 18 mars 1967

par H.L. WALB

Selon HOLTMEIER plus d'un tiers de la population meurt de maladies influencées par l'alimentation. Dans les pays industriels hautement développés, les maladies résultant de l'alimentation, à savoir: l'obésité, l'infarctus du myocarde, l'hypertonie, l'artériosclérose, etc., se sont accrues de manière importante depuis le début du siècle actuel. Les maladies épidémiques ne jouent plus qu'un rôle minime par rapport au temps passé. En revanche, les êtres humains meurent aujourd'hui de maladies inconnues jadis et la plupart des personnes âgées meurent d'angiose, qualifiée aujourd'hui d'épidémie de la civilisation.

Dans le livre "Où en sommes-nous aujourd'hui" (Wo stehen wir heute) Frank THIES expose ce qui suit: En ce qui concerne l'accroissement des maladies de dégénérescence, les médecins font mention des facteurs suivants: alimentation contraire, aliments sans valeur nutritive, affaiblissement du corps humain, alcool, drogues, produits chimiques stimulant l'énergie, pénurie d'oxygène, absence d'endurcissement, l'on ne pratique plus la marche, l'on roule en voiture. Les habitudes liées à la vie de l'être humain moderne se sont adaptées au confort créé par la technique et ont engendré un réel fanatisme en faveur des choses artificielles, synthétiques, inventées et imaginées. Il serait sans doute bien difficile de surpasser encore le caractère artificiel de notre existence mais l'on s'y efforcera probablement malgré tout parce que l'on s'obstine à vouloir apporter à la nature elle-même les preuves qu'elle travaille de manière non rentable et peu efficiente. Bien que l'on soit donc parvenu à maîtriser des épidémies dangereuses, d'innombrables habitants de notre pays meurent déjà à un âge auquel la plus grande efficience se manifeste en général, des suites d'infarctus du myocarde et d'hypertonie résultant de l'alimentation opulente et malsaine.

Les efforts tendant vers un mode de vie plus prudent se dégagent d'une constatation statistique émanant de la "Société allemande de l'alimentation" et d'après laquelle le nombre de personnes se conformant à des principes diététiques est estimé à 23% environ. Il a été constaté que 20% des écoliers sont trop gros, sont sensibles aux refroidissements et souffrent de lésions d'attitude. En ajoutant encore 15% de diététiciens cachés au nombre de ceux connus en raison des avantages fiscaux qui leur sont attribués, l'on peut en conclure qu'un tiers de la population environ a déjà entrepris des essais diététiques. Les possibilités existant sur le plan international conduisant à une nourriture à la portée et au goût de tous incitent plutôt à une alimentation opulente qu'à une alimentation à caractère restreint. Ce n'est que par obligation et en raison d'un conseil médical que l'on se conforme à un régime diététique qui, à dire vrai, n'extorquait parfois précédemment qu'un sourire à l'intéressé.

De leur côté, les médecins qui, en général, ne s'étaient jusqu'alors occupés que très rarement des principes diététiques, et qui par conséquent n'en tenaient compte que superficiellement, sont maintenant amenés à rectifier leur propre méthode d'alimentation ou celle de leurs malades. Mais les innombrables genres de diètes sèment la confusion. En effet il existe actuellement autant de régimes diététiques différents que d'organes et de maladies. Le médecin n'a donc d'autre recours que de rectifier l'alimentation mixte pratiquée habituellement, qu'il le fasse soit pour des raisons prophylactiques, soit en tant que mesure inhérente au traitement médical. Il faut considérer que l'être humain enclin à la précipitation, mange presque toujours trop et des repas trop copieux, il mange trop souvent et trop vite. Erwin BAELZ, médecin attaché à la personne de l'empereur japonais raconta que ses conducteurs de pousse-pousse, après avoir mangé une poignée de riz, le conduisirent aisément par-dessus monts et montagnes jusqu'à son lieu de destination, tandis que leurs performances s'affaiblirent très rapidement après qu'il leur eût donné de la viande pour nourriture. Il en conclut que les performances dépendent dans une large mesure de l'alimentation.

Des cobayes ayant été nourris de manière habituelle,

mais avec de la nourriture cuite constituée d'avoine, de carottes, de foin et d'eau, moururent rapidement de saprodontie (caries graves), d'ostéomalacie et en majeure partie du cancer. L'on en conclut qu'une grande partie de la nourriture doit être consommée à l'état cru.

1) L'alimentation diététique doit donc en principe être de pleine valeur nutritive, elle ne doit ni suralimenter l'être humain sain ni sousalimenter le malade.

2) Elle doit être complétée par une quantité suffisante de légumes crus car la nourriture cuite seulement provoque des maladies carencielles.

C'est précisément l'être humain souffrant de maladie chronique qui doit se conformer, souvent durant de nombreuses années, à des principes diététiques. Cette diète ne doit donc pas entraîner l'affaiblissement du malade, mais lui rendre, si possible, l'efficience et la santé. Son régime diététique devrait être praticable également dans les restaurants et, de ce fait, ne pas trop dévier de l'alimentation habituelle.

C'est l'Alimentation Dissociée d'après HAY qui correspond le mieux à ces principes. Lorsque nous perturbons pendant un certain temps la balance acido-basique il en résulte de l'acidose ou de l'alcalose. SANDER constata que toutes les maladies graves sont accompagnées d'acidose latente. Le diabète sucré, le rhumatisme, l'arthrite, etc. constituent quelques exemples à cet effet. D'après HAY: "Nous tombons malades parce que nous ne disposons pas de la résistance naturelle contre les résidus d'acide, les bacilles et l'épuisement nerveux".

Des chercheurs américains ont récemment apporté des preuves basées sur leurs expériences et selon lesquelles des facteurs métaboliques entravent l'activité antibactériolytique des poumons.

Le processus de défense tant humorale que cellulaire est influencé de manière décisive par l'état de nutrition de l'ensemble de l'organisme humain.

Le premier degré de l'exploitation des aliments tant pour la production d'énergie qu'à d'autres fins consiste en la scission hydrosoluble des macromolécules de l'aliment en petits éléments constitutifs. Les substances de protéine son converties en acides aminés, les hydrates de carbone en hexoses (sucre), les graisses en glycérine et acides gras, les acides nucléiques respectivement en bases, pentoses et phosphate. Du point de vue biologique, les aliments sont rendus solubles par la digestion, ce qui constitue la condition préliminaire à leur résorption par l'intestin. Des processus très analogues à la digestion dans l'intestin se manifestent également dans la plupart des tissus lorsque des substances supplémentaires sont mobilisées aux fins de la production d'énergie ou lorsque des tissus altérés sont soumis à l'autolyse. La digestion est provoquée par l'activité combinée d'un grand nombre d'enzymes spécifiques et chacun de ceux-ci se charge de l'hydrolyse d'une jonction ou d'un certain nombre de jonctions présentant entre elles un caractère d'affinité important. En cas d'erreurs diététiques prolongées et par conséquent d'irritations chimiques chroniques, l'épithélium peut réagir par des atypies (modifications).

La vitesse de toutes les opérations métaboliques dans la cellule est dirigée en premier lieu par le noyau cellulaire y compris les mitoses et tous les processus de croissance. L'activité enzymatique du noyau cellulaire n'est pas constante, elle varie en effet selon l'âge de la cellule et, ce qui par ailleurs est important, elle peut subir des modifications en raison des influences extérieures.

Il n'existe pas de constante du noyau cellulaire et de ses composants, à savoir les chromosomes, les gènes et les dispositions héréditaires; elles sont toutes soumises, au cours de la vie, à des modifications liées à des influences extérieures.

Une alimentation contrôlée, compte tenu de son influence sur le centre cellulaire, pourrait par conséquent protéger les structures génétiques du noyau cellulaire, d'autant plus qu'en cas de cancérigenèse un rôle-clé doit être attribué à des modifications intervenues dans le code génétique de la cellule.

En effet, parmi les composants cellulaires, les acides nucléiques requièrent un intérêt particulier parce qu'ils jouent un rôle fondamental dans la division cellulaire de même que dans la croissance et la biosynthèse de protéines.

L'oxydation métabolique se termine dans les plus petites

fabriques chimiques, à savoir dans les mitochondries (corpuscules) où l'énergie est déposée sous forme de triphosphate d'adénosine et par là est rendue libre l'énergie mécanique pour les cellules musculaires et l'énergie électrique pour les cellules nerveuses.

Mais l'efficience du rein quant à la constitution de l'ammoniac est souvent plus ou moins affaiblie en raison de la pression capillaire réduite en cas de troubles circulatoires. Il peut en résulter de l'acidose et une diminution de la réserve alcaline. Lors de l'examen médical de malades souffrant de rhumatismes et se conformant à l'habituelle alimentation mixte contrairement à ceux pratiquant l'Alimentation Dissociée, le contrôle du bilan acido-basique nous a permis de prouver que du point de vue chimique la situation métabolique du malade se nourrissant selon les principes de l'Alimentation Dissociée est plus favorable.

Le déroulement ordonné des processus biologiques, y compris la croissance normale, est lié à la composition du sang, constante en moyenne, qui s'exprime entre autres par le fait que le nombre des ions d'hydrogène libres (statut acidobasique), la pression osmotique régulière (isotonique), et la composition des anions et cations (isoionie) sont rigoureusement surveillés par l'organisme sain et que des modifications de ces proportions font l'objet d'une rectification immédiate. La chlorophylle et l'hémoglobine se distinguent uniquement par une molécule de magnésium dans la formule de structure.

SELYE et des chercheurs suisses signalèrent que des parois de vaisseaux présentant des obstructions et modifications sclérotiques peuvent se normaliser à nouveau par suite du changement de mode d'alimentation.

D'après KRONE, de l'Institut MAX-PLANCK, il est absolument certain qu'en raison de la nourriture le métabolisme des cellules peut subir une modification dans un sens négatif ou positif.

Tous les processus de régulation nerveuse, hormonale et fermentaire dépendent absolument de la composition normale du sang. Le chimisme du sang présente une importance capitale du point de vue physiologique. La nourriture actuellement d'usage, en général, dans les pays civilisés ne constitue

aucune garantie quant à un chimisme sanguin équilibré, qui est la condition essentielle d'un bon état de santé.
Il faut dire par ailleurs que, par suite du stress actuel, de la précipitation provoquée par les êtres humains eux-mêmes, la dystonie végétative joue un rôle beaucoup plus important que dans le passé. Cette dernière entraîne à son tour des maladies et des troubles fonctionnels organiques, à savoir également dans les organes digestifs. C'est pourquoi l'on ne pourra à la longue témoigner de l'indifférence à la nourriture respectivement à la manière dont elle est absorbée.

D'après PISCHINGER, les tissus connectifs, les capillaires, les capillaires lymphatiques et la terminaison du réseau végétatif constituent une unité fonctionnelle. Il résulta d'examens à l'aide du microscope électronique que les terminaisons des fibres végétatives ne se terminent pas dans la cellule mais dans l'espace intercellulaire.
De ce fait s'explique également que, lors du mesurage des résistances électriques de la peau d'après CROON, des modifications électriques enregistrées chez des malades sont vérifiables de manière constante et reproductible lorsque se modifie la situation métabolique.

La recherche moderne pratiquée dans les universités témoigne à ces observations un intérêt sans cesse croissant. Il est d'une importance déterminante que nous laissions, dans la mesure du possible, les aliments à leur état naturel.

En conclusion l'on peut dire que l'Alimentation Dissociée présente des qualités prophylactiques influençant de manière favorable respectivement le métabolisme et l'équilibre végétatif.

L'Alimentation Dissociée renforce les mesures thérapeutiques et physiques, elle provoque l'accroissement des performances sportives et elle conduit à la réduction des phases de repos. Elle offre une aide efficace à la réhabilitation et à la gériatrie.

C'est pourquoi il s'impose de poursuivre la recherche et d'approfondir les connaissances concernant le concours des lois chimiques et physiques en relation avec la nourriture.

EXPLICATIONS CONCERNANT LE SOMATOGRAMME ELECTRONEURAL D'APRES CROON

Tandis que l'électrocardiogramme peut seulement enregistrer une partie du corps humain (le coeur), le somatogramme électroneural d'après CROON en donne un aperçu global.

Les déviations de la norme — à savoir les fonctions troublées du corps humain — peuvent être traitées de manière précise — et conformément au test — à l'aide d'un appareil médical. Ce traitement permet d'aboutir à une normalisation des valeurs de mesure. Cette normalisation provoque la modification de la susceptibilité de réaction du malade.

Le traitement électrique appliqué à cet effet — et pouvant être dosé — déclenche des processus de guérison en raison d'autorégulations du corps humain pouvant être contrôlées par des tests intermédiaires. Le médecin juge de l'état du malade en se référant à ces diagrammes.

La méthode électroneurale constitue une méthode de traitement supplémentaire très recommandable, qui complète de manière judicieuse l'effet produit par l'Alimentation Dissociée lorsque les fonctions du corps humain sont déréglées, par exemple en cas de troubles circulatoires, de maladies de métabolisme, de suites d'accident, de dystonie végétative, de migraine et de céphalée, de maladies rhumatismales, de rachiopathie, de discopathie, de troubles organiques, d'attaques d'apoplexie et d'autres symptômes de paralysie.

L'application de l'Alimentation Dissociée d'après HAY combinée à la thérapeutique d'après CROON intensifie et accélère l'amélioration de la susceptibilité de réaction ainsi que les processus de guérison à l'intérieur du corps humain, comme le prouvent d'ailleurs plus de 100.000 cas traités dans ma clinique.

Des ulcères gastriques sanguinolents et des maladies fiévreuses ne se prêtent pas à la thérapeutique électroneurale.

Les bases de la diagnose et de la thérapeutique électroneurale reposent sur une méthode de mesurage électrique de certains points à la surface du corps humain, appelés points de réaction d'après CROON.

L'être humain sain présente des valeurs de mesurage se situant dans un domaine restreint (entre 30 et 50 kg. d'Ohm). Ces valeurs de mesurage sont enregistrées automatiquement sur une courbe appelée somatogramme électroneural.

On peut expliquer, d'une manière généralement compréhensible, la diagnose et la thérapeutique électroneurale en citant le Dr. GRODDEK qui compare l'attouchement de la peau avec la télégraphie. D'après lui, un point de la peau sensibilisé à l'électricité correspondrait au lieu d'expédition du télégramme. Depuis l'émetteur, le télégramme - la sensation - est transmis - par le fil - le nerf sensitif - à une centrale - au cerveau - et est communiqué à l'organe-cible - au muscle par le nerf moteur.

Il faut de plus se représenter que les fils conduisant à la centrale et partant de celle-ci, se trouvent dans un seul et même câble et que le nerf sensitif ne sert jamais à la transmission d'actions volontaires, alors que le nerf moteur inversement ne sert jamais au transfert des sensations.

Le cerveau lui est divisé en secteurs correspondant aux différentes parties du corps, de sorte que par exemple toutes les perceptions de l'oeil sont transmises à un point défini du cerveau, et que toutes les sensations du bras ou de la jambe parviennent à un autre point.

Lorsque le champ cortical, qui enregistre les impressions faciales est détruit, l'image des objets se forme alors encore dans l'oeil mais le malade ne la voit plus, parce qu'il souffre de cécité corticale.

Lorsque le centre du bras ne fonctionne plus, les mouvements du bras ne peuvent plus être exécutés automatiquement. Des inflammations ou autres maladies peuvent être la cause de troubles de tous genres. La paralysie de la musculature ou l'insensibilité d'une partie quelconque du corps humain peut tout aussi bien provenir de l'interruption de la conduction que des troubles de l'organe central. L'examen à l'aide de l'appareil de CROON signale l'endroit où réside le foyer de la maladie. C'est ainsi que le diagramme d'un malade souffrant de sclérose en plaques disséminées se distingue nettement de la courbe se rapportant à des troubles végétatifs.

Les malades souffrant de sclérose en plaques disséminées peuvent être traités efficacement à l'aide de l'appareil de CROON et il est donc possible de maintenir leur maladie à un état stationnaire pendant longtemps, à condition toutefois qu'ils ne soient pas soumis à de trop grandes exigences professionnelles. Même les malades souffrant de sclérose en plaques disséminées et tributaires du fauteuil roulant peuvent alléger leur sort et parfois même améliorer leur état à l'aide de cette thérapeutique.

Des paralysies résultant d'attaques d'apoplexie réagissent à cette thérapeutique de manière analogue aux maladies précitées lorsqu'il est possible de les traiter aussitôt après leur apparition.

De toute façon, un essai de traitement à l'aide de l'appareil de CROON doit être réalisé avant d'abandonner tout espoir après l'échec des moyens thérapeutiques traditionnels.

Lors du traitement à l'aide de l'appareil de CROON, 214 points sont contactés à la surface de la peau. L'appareil de test fonctionne à l'aide d'une commande automatique. Le malade soumis au traitement apprend à connaître les 214 points de terminaison des nerfs et à exécuter la thérapeutique; celle-ci traite seulement ceux des points résidant en-dehors de la norme.

Après dix traitements l'on effectue un test de contrôle duquel dépend la poursuite du traitement.

Il est d'une importance primordiale que les troubles constatés dans le somatogramme soient traités au stade primaire. Par suite des indications se rapportant aux foyers signalés dans le somatogramme, le médecin peut par ailleurs appliquer de manière précise d'autres mesures thérapeutiques en supplément de la thérapeutique d'après CROON.

Par suite de l'application de la thérapeutique selon CROON, un processus en faveur de la guérison est déclenché dans le corps humain.

82,5% de 324 malades souffrant respectivement de lombodynie, du syndrome de la colonne vertébrale lombaire, d'altérations douloureuses du rachis et de troubles du nerf sciatique, présentèrent une amélioration de leur état et furent exempts de douleurs. La statistiques mentionnée ci-dessus se rapporte à l'année 1979.

THERAPEUTIQUE: Alimentation Dissociée, thérapeutique électroneurale.

A la suite d'une recherche scientifique fondamentale concernant le procédé CROON, les observations suivantes ont, par exemple, été enregistrées:

a) une nutrition améliorée de la cellule.

b) l'amélioration de la circulation sanguine et par là décharge du coeur.

c) l'évacuation d'oedèmes par suite de l'amélioration du métabolisme.

Des imprimés spéciaux destinés aux médecins et autres personnes intéressées peuvent être obtenus à la

Clinique Dr. WALB
6313 HOMBERG
Am Hohen Berg 20 - Tél. (066 33)816/817/818
Privé (066 33) 76 68, Am Hohen Tor 12

NOURRITURE EN CAS DE DIABETE

Annexe pour diabétiques

L'ALIMENTATION DISSOCIEE CONSTITUE UNE PREVENTION CONTRE L'EXCEDENT DE POIDS ET INFLUENCE FAVORABLEMENT LE METABOLISME

SOMMAIRE

INTRODUCTION

Cette annexe contient un exemple d'adaptation d'un diabétique à l'Alimentation Dissociée après qu'il eût abandonné la nourriture mixte.

Les piqûres de ce diabétique au moment de son entrée à notre clinique comprenaient 30 unités d'insuline. Après un séjour de quatre semaines en clinique, ses piqûres ne contenaient plus, à son départ, que 18 unités d'insuline. Il dut ce succès uniquement à la composition plus digestible des repas de l'Alimentation Dissociée. Ces derniers constituent une alimentation intégralement nourrissante, mais n'apporte ni suralimentation, ni sousalimentation, du fait que chaque repas ne contient qu'UN aliment concentré. De cette manière, les aliments sont mieux exploités par chacun et essentiellement par le diabétique, et sont de ce fait plus rassasiants; le diabète peut être stabilisé plus facilement et une tolérance plus grande quant aux hydrates de carbone se manifeste petit à petit. Le diabétique peut réduire progressivement les doses d'insuline parce que le sucre sanguin et le sucre diabétique diminuent peu à peu. C'est pourquoi il est nécessaire d'effectuer deux ou trois contrôles de sucre sanguin par semaine au début de la période d'adaptation. Quant aux diabétiques ne requièrant pas encore de piqûres d'insuline, leur sucre sanguin se normalise évidemment plus rapidement en raison de l'Alimentation Dissociée.

Il serait recommandable que dans les cas de diabète au stade primaire, décelés et soumis à un examen médical préliminaire en République Fédérale, les malades soient soumis à l'Alimentation Dissociée afin d'arrêter la maladie. En effet, parallèlement aux 1,3 millions de cas de diabétiques connus, il existerait, selon les statistiques fédérales plus d'un million de cas cachés. Beaucoup de personnes souffrent d'accès de faiblesse et de vertige. Dès l'apparition de ces symptômes, les valeurs de sucre sanguin doivent être déterminées afin d'exclure l'hypoglycémie. Il serait préférable d'adapter la nourriture à l'Alimentation Dissociée, afin d'éviter les accès hypoglycémiques et il y aurait lieu de réduire les quantités d'hydrates de carbone. L'hypoglycémie n'est pas provoquée par la pénurie de sucre mais par une production d'insuline trop élevée, à savoir par l'hyperinsulinisme. C'est pourquoi — selon ATKINS — des doses de sucre appliquées à long terme ne pourraient qu'aggraver cet état; les diabétiques recevant des piqûres d'insuline le soir devraient également manger ensuite un repas afin d'éviter l'hypoglycémie qui, selon JAHNKE, passe facilement inaperçue durant le sommeil.

Quant à la nourriture préconisée par le Dr. ATKINS, et composée unilatéralement de viande, le Dr. SCHMIDSBERGER a écrit ce qui suit: «Celui qui se conformera à long terme aux recommandations du Dr. ATKINS concernant les substances de protéine, ressentira de la fatigue, de l'anorexie et souffrira également de fatigue. Mais ce n'est pas tout: ainsi que l'ont prouvé les examens médicaux, et à l'encontre des promesses, les taux d'acide urique et de cholestérine, mais surtout la pression sanguine augmentent. Le Dr. ATKINS recommande depuis peu une "diète d'énergie" contenant des vitamines et des minéraux à doses élevées. Celui dont l'organisme est acidosique à long terme et qui l'inondera d'un excès de déchets résultant de la protéine, cultivera le terrain sur lequel naîtront de nombreuses maladies. Ce risque est encore beaucoup plus grand pour les diabétiques et les malades souffrant d'affections cardiaques et rénales que pour les personnes saines».

PREUSSER a écrit qu'il est de même nuisible de se nourrir uniquement d'hydrates de carbone.

Notre nourriture mixte contient les deux éléments: la viande et les hydrates de carbone, et en outre les fruits, légumes et salades.

Il est généralement connu que la nourriture mixte mène aisément à la suralimentation. Et c'est seulement lorsque la maladie se manifeste déjà que l'on se conforme à la diète.

L'Alimentation Dissociée en supprimant l'un des éléments concentrés au cours d'un repas, constitue le meilleur moyen permettant d'éviter la SURALIMENTATION, et de bénéficier tout de même des substances nutritives sans aboutir à l'acidose.

Il est important pour les diabétiques de savoir que la dissociation est facilement praticable aussi bien pour les enfants que pour les adultes.

La constatation suivante émanant de la science moderne est très intéressante et je cite ici un commentaire approprié de JAHNKE, extrait du livre "Diète moderne en cas de diabète de l'adulte" et selon lequel le traitement du diabète à l'aide de médicaments est INSUFFISANT. «Il faut surtout noter que de notre temps alors que se manifestent des progrès sensationnels relatifs au traitement par les médicaments, l'importance devant être attribuée au traitement par la diète a dû pour ainsi dire être REDECOUVERTE.

L'évolution défavorable du cours du diabète conduisant à des maladies vasculaires prématurées et s'aggravant progressivement peut effectivement être arrêtée par un traitement soutenu et rigoureux appliqué en temps opportun. Il est nécessaire, à cet effet, de procéder à la stabilisation du métabolisme diabétique requiérant absolument un régime diététique approprié. Le but visé par le traitement moderne du diabète de l'adulte consiste non seulement en la dépression durable du taux élevé de sucre sanguin, le ramenant à des valeurs presque normales, mais aussi à la cessation de l'élimination de sucre diabétique. En effet, tous les spécialistes du diabète sont unanimement d'accord sur le point suivant: la normalisation du taux élevé de cholestérine et l'élimination de la polypionie présentent la même importance et constituent même, en général, la condition essentielle requise à la dépression durable des hautes valeurs de sucre sanguin. Ceci peut être réalisé en premier lieu seulement par une diète appropriée. Celle-ci se trouve donc à nouveau placée au premier plan du traitement du diabète de l'adulte. Elle peut souvent aboutir à un traitement réduisant les doses de médicaments visant la dépression de sucre sanguin et même rendre superflue leur application qui, dans de nombreux cas, doit d'ailleurs être jugée de manière critique».

«Le traitement diététique moderne du diabète de l'adulte place actuellement au premier plan l'élimination du surpoids, c'est-à-dire la réduction de l'absorption des quantités de calories. C'est de cette manière que la fonction des cellules isolées peut être allégée au mieux, que le métabolisme diabétique peut être stabilisé et qu'un accroissement de substances de graisses dans le sang peut être réduit. Ceci est important en considération de la diminution du risque lié aux complications vasculaires. Dans de nombreux cas, il est possible ainsi de limiter ou de rendre même superflue l'application de médicaments conduisant à la dépression du sucre sanguin et surtout l'application de l'insuline».

Dr. WALB e Mme Ilse WALB

TABLEAU D'EQUIVALENCE

(Tableau 1)

10 G. DE PAIN BLANC CORRESPONDENT AUX QUANTITES D'ALIMENTS SUIVANTES, C'EST-A-DIRE QU'AU LIEU DE 10 G. DE PAIN BLANC ON PEUT MANGER:

10 g.	de petit pain, de croissant, de pain au lait, de gâteau sec de lentilles, de petits pois jaunes*, de fèves blanches*, de raisins secs, de prunes (sèches), de figues (sèches), de cake.
12 g.	de pain complet, à savoir au froment ou au seigle, de pain noir, de pain gris, de pain Graham, de pain au grain de lin.
15 g.	de gâteau aux fruits, de pommes frites, de galette suédoise croustillante pour diabétiques.
20 g.	de gâteau aux noisettes.
7,5 g.	de biscotte, de biscuit, de craquelin, de cacao*, de galette croustillante, par exemple de marque allemande WASA.
7 g.	de toutes les sortes de farines*, de gruaux d'avoine*, de nouilles*, d'orge*, de grains de blé*, de quäker oats*, de poudre de pudding*.
6 g.	de riz*, de semoule*, de tapioca*, de chocolat, de confiserie au sucre, de miel.
5 g.	de sucre.
12,5 g.	de marmelade.

(*) pesés à l'état cru.

30 g.	de pommes de terre, de pommes de terre rôties, de salade de pommes de terre, de purée de pommes de terre, de raisins pesés à la grappe, de bananes pesées avec la pelure, de figues fraîches, d'ananas.
40 g.	de fruits à pépins, à savoir de pommes douces ou sures, de poires, de fruits à noyaux: cerises, pêches, abricots, prunes etc, pesés avec noyaux.
50 g.	de groseilles, de groseilles rouges, de fraises, de framboises, d'orange pesée avec pelure, de petits pois verts, de navet, de carotte, de fèves, de chounavet.
60 g.	de mûres, de myrtilles.
100 g.	de pamplemousse, de melon d'eau.
1/8 l.	de lait, de lait caillé, de babeurre, de lait écrémé, de bière Export, de bière Pils.
1/4 l.	de yogourt, de Kéfir, de bière à fermentation élevée, de crème grasse (1/8 l. de crème réparti sur un jour est autorisé).
1/8 l.	de vin mousseux
1/32 l.	de jus d'orange.
2	bouteilles de bière diététique Pils contenant 1/3 l.

Fruits à coquilles
pesés avec coquilles:

45 g. de cacahuètes, 80 g. d'amandes, 100 g. de noix, 160 g. de noisettes, 300 g. de châtaignes du Brésil;

pesés sans coquilles:

35 g. de cacahuètes, 45 g. d'amandes, noix, noix de coco, 80 g. de noisettes, 150 g. de châtaignes du Brésil.

ATTENTION: La notion de l'unité de pain utilisée à beaucoup d'endroits correspond respectivement à 20 g. de pain blanc (1 unité de pain = 20 g. de pain blanc).

LES REPAS D'UN DIABETIQUE PRATIQUANT L'HABITUELLE NOURRITURE MIXTE DES DIABETIQUES ADAPTEE A 320 UNITES DE PAIN BLANC

Lors de son entrée en clinique, ce malade reçut des piqûres de 32 unités d'insuline par jour. Nous n'avons pas modifié ses unités de pain blanc.

A son arrivée, il se conformait aux unités de pain blanc indiquées ci-après:

Premier petit déjeuner:

80 g. de pain blanc ou aliments équivalents, cf. tableau 1

Deuxième petit déjeuner:

40 g. de pain blanc ou aliments équivalents, cf. tableau 1

Repas de midi:

80 g. de pain blanc ou aliments équivalents, cf. tableau 1

Après-midi:

40 g. de pain blanc ou aliments équivalents, cf. tableau 1

Repas du soir:

80 g. de pain blanc ou aliments équivalents, cf. tableau 1

Ses repas furent donc constitués de la manière suivante:

Premier petit déjeuner:

80 g. de pain blanc ou
96 g. de pain au seigle, produits de charcuterie et beurre

Deuxième petit déjeuner:

40 g. de pain blanc ou
48 g. de pain au seigle
160 g. de pommes

A midi:

Viande, salade et légumes
210 g. de pommes de terre et
40 g. de pomme ou poire ou
50 g. de baies

Après-midi:

4 tranches de galettes croustillantes de
7,5 g. chacune = 30 g. de pain blanc

Le soir:

même repas que le matin

Pour l'adaptation de ces repas à l'Alimentation Dissociée, nous nous sommes basés sur un tableau d'équivalence en provenance de la Clinique pour Diabétiques, Dr. KÜLZ, Hôpital spécialisé de Bad Neuenahr. Le terme équivalence signifie que le diabétique peut choisir entre les aliments suivants:

10 g. de pain blanc ou
12 g. de pain au seigle ou
7 g. de nouilles ou
30 g.de pommes de terre ou
40 g. de pommes (emmagasinées)
(Les pommes emmagasinées contiennent davantage d'hydrates de carbone).

LORS DE L'ADAPTATION DU MALADE A L'ALIMENTATION DISSOCIEE IL REÇUT LES REPAS SUIVANTS:

Premier petit déjeuner:

80 g. de pain blanc, et afin de revaloriser la puissance nutritive du pain blanc: 2 cuillerées à café de germes de blé, 2 cuillerées à café de son de blé.
1 verre de jus composé de 2/3 d'eau et de 1/3 de jus de lé-

gumes, crudités: radis, tomates, tranches de raifort ou de concombre cru, Vitam R et margarine Bécel (diététique).

Deuxième petit déjeuner:

Au lieu de 40 g. de pain blanc
160 g. de pommes (4 x 40) ou Kefir, cf. Tableau 1
pamplemousse.

A midi:

Viande, salade et au lieu de pommes de terre
100 g. de carottes et
240 g. de pommes
(cf. Tableau 1)

Après-midi:

comme deuxième petit déjeuner ou
120 g. de pommes, cf. Tableau 1: pommes
3 x 40 - 120 g. de pommes avec du Kefir

Soir:

même repas que le matin.

DEJEUNER COMPOSE ESSENTIELLEMENT D'ALIMENTS A BASE DE PROTEINE ET D'ALIMENTS A CARACTERE NEUTRE

(Tableau 2)

MELANGEZ

ALIMENTS CONCENTRES	ALIMENTS A CARACTERE NEUTRE
1. Essentiellement à base de protéine	**1.** Légumes
Viande, gibier, poissons frais, lait, produits laitiers de tous genres, fromage (à concurrence de 55% de matières grasses) oeufs, farine de soja.	Salade verte, carottes, betteraves, chou-navet, oignons, poireaux, chou-fleur, asperges, haricots, petits pois verts, bettes, épinards, raifort, radis, céleri, chou-rave, chou frisé, chou rouge, chou blanc, choucroute, courge, concombre, choux de Bruxelles, tomates crues, champignons, paprika, fenouil, chicorée.
2. Fruits surs	**2.** Graisses
Fruits à pépins et à noyaux, baies, raisins de corinthe, agrumes, grenades, ananas, tomates cuites, melons sans garniture, myrtilles sans sucre, raisins secs, Agar-Agar gelatine, noisettes.	Huiles et graisses végétales, graisses animales, beurre, crème, fromage frais, lard gras, fromage à partir de 60% de matières grasses, jaune d'oeuf, olives mûres.

3. Autres aliments

Myrtilles (sans sucre), raisins secs, Agar-agar, gelatine, noisettes, exceptés cacahuètes et marrons.

4. Epices

Herbes sauvages et potagères, (basilic au lieu de poivre), sel aux herbes fines et sel de céleri, sel marin, ail, paprika, muscade, curry.

Non recommandés sont:

Blanc d'oeuf cru, rhubarbe, airelle, conserves, cacahuètes, marrons.

Non recommandés sont:

Légumineuses séchées, mayonnaises, soupes et sauces commercialisées, thé noir, café, cacao, gingembre, poivre, moutarde, conserves, essence de vinaigre.

IL EST RECOMMANDE DE NE CONSOMMER QU'UNE SORTE DE SUBSTANCES DE PROTEINE AU COURS D'UN REPAS.

Il a été procédé au mesurage physique de la viande et du poisson/saumon crus; ils présentent un caractère neutre. Le hachis de viande n'est pas recommandé par suite du danger de toxoplasmose qu'il comporte. Il est préférable de consommer du jambon cru, du boudin rouge et de la saucisse de cervelas provenant essentiellement de la viande de boeuf.
La viande de porc ne doit être consommée qu'à titre exceptionnel.

EXEMPLES DE REPAS CONFORMEMENT AU TABLEAU 2

Premier exemple: BIFTECK TARTARE

(Viande, voir colonne gauche du tableau 2): hachis, oignons, basilic, 1 jaune d'oeuf, tomates coupées et herbes potagères finement hachées.

Plat de haricots (colonne droite du tableau 2) ou choucroute crue finement hachée à laquelle l'on ajoutera un peu d'huile et d'oignon, et que l'on fera chauffer dans la poêle; servir avec de la salade verte (colonne droite du tableau 2).

Dessert: 1 pomme ou 1 orange.

Deuxième exemple: SOUFFLE AU POISSON

Déposer dans une timbale à soufflé beurrée le filet de poisson assaisonné de sel marin et d'un filet de jus de citron, le garnir alternativement de tranches de tomates et de légumes préalablement étuvés et coupés fins, choisis selon la saison. Parsemer la surface de quelques boules de beurre et faire étuver cette composition dans son propre jus pendant 20 minutes environ.

Troisième exemple: SOUPE AUX LEGUMES

La soupe est préparée sans farine, sans pommes de terre; 2 oeufs frits ou brouillés, épinards, crudités ou salade verte ou salade-endive ou doucette.

Dessert: fromage frais préparé avec des cerises sures.

Il est essentiel que les crudités ou la salade verte constituent la partie principale du repas.

REPAS DU SOIR COMPOSES ESSENTIELLEMENT D'HYDRATES DE CARBONES ET D'ALIMENTS NEUTRES

(Tableau 3)

MELANGEZ

ALIMENTS CONCENTRES

Essentiellement à base d'hydrates de carbone (amidon, sucre)

1. Essentiellement amidon

Céréales de grain complet, farine de grain complet, pain complet, nouilles à farine de grain complet, riz non poli, bananes, pommes de terre, topinambour, chou vert, salsifis.

ALIMENTS A CARACTERE NEUTRE

1. Légumes

Salades vertes, carottes, betteraves, oignons, poireaux, chou-fleur, asperges, haricots, petits pois verts, bette, épinards, raifort, radis, céleri, chou-rave, chou frisé, chou rouge, choucroute, chou blanc, courge, concombre, cornichons, choux de Bruxelles, tomates crues, paprika, fenouil, champignons, chicorée.

2. Graisses

Huiles et graisses végétales, graisses animales, lard gras, beurre, crème, fromage frais, fromage à partir de 60% de matières grasses, jaune d'oeuf, olives mûres.

3. Autres aliments

Myrtilles (sans sucre), raisins secs, Agar-agar, gelatine, noisettes à l'exception de cacahuètes, marrons.

4. Epices

Herbes potagères et sauvages, basilic au lieu de poivre sel aux herbes fines et sel de céleri, sel marin, ail, paprika, muscade, curry.

Non recommandés:

Pain blanc, farine blanche, nouilles à farine blanche, riz poli, tapioca, légumineuses, cacahuètes, marrons, sucre blanc, confiserie au sucre blanc, gelées, conserves, confitures.

Non recommandés:

Légumineuses séchées, mayonnaises, soupes et sauces commercialisées, thé noir, café, cacao, gingembre, poivre, moutarde, conserves, essence de vinaigre.

NE CONSOMMER QU'UN GENRE D'HYDRATE DE CARBONE AU COURS D'UN REPAS.

QUELQUES EXEMPLES DE MENUS POUR REPAS A BASE D'HYDRATES DE CARBONE conformément au tableau 3

1. POMMES de TERRE en ROBE des CHAMPS avec FROMAGES FRAIS

   ou de la viande fumée (Le hachis de viande n'est pas recommandé par suite du danger de toxoplasmose qu'il comporte).
   Crudités et salade verte.
   La viande de porc ne doit être consommée qu'exceptionnellement.

2. SOUPE aux GRUAUX D'AVOINE, (à raison d'une cuillerée à soupe de gruaux par quantité d'eau pour une assiette).
   Pain complet avec fromage contenant plus de 50% de matières grasses, ou fromage frais, ou éventuellement saucisse de cervelas ou viande bouillie (à caractère neutre) et des radis, concombre, tomates crues ou salade verte.

3. SOUFFLE au RIZ non poli, avec jaune d'oeuf, bananes, raisins secs.
   Crudités ou salades crues.

4. Hors-d'oeuvre: Crudités
   BOULETTES AU FROMAGE FRAIS. Recette: 500 g. de fromage frais, 2 jaunes d'oeufs, 1 cuillerée à soupe de farine, 1 cuillerée à soupe de semoule, sucre de fruit et cannelle. Garniture: myrtilles.

5. Hors-d'oeuvre: Crudités
   Potage au grain de blé vert avec croutons.
   DAMPFNUDELN: 400 g. de froment broyé, 125 g. de beurre, 110 g. de sucre de fruit, 3 jaunes d'oeufs, 30 g. de levure, 1/8 l. d'eau avec crème et 1 cuillerée à soupe de germes de blé et 1 cuillerée à soupe de son de blé.

   a) Préparer la pâte de manière habituelle, l'étendre au

rouleau à une épaisseur de 1 cm. environ, découper la pâte au moule rond, enduire ces ronds de jaune d'oeuf et après les avoir fait lever, les cuire de la manière suivante:

b) Dans une marmite inox cuire le contenu d'un verre d'eau avec un peu de beurre et de sel, y déposer ensuite les Dampfnudeln préparées de la manière précitée et les faire cuire à petit feu pendant 20 minutes environ jusqu'à ce qu'elles soient à point.

6. Hors-d'oeuvre: Crudités

PATE AUX OIGNONS: 200 g. de farine de froment, 100 g. de farine de blé, 150 g. de beurre, 2 jaunes d'oeufs, sel, 1/2 tasse d'eau, oignons coupés fins et champignons pour la farce.

Déposer dans un moule 2/3 de la pâte et recouvrir celle-ci des champignons préalablement étuvés avec les oignons auxquels l'on aura ajouté les jaunes d'oeufs et la crème. Recouvrir cette composition du reste de pâte et faire cuire au four.
Pour la farce de ce pâté, les champignons peuvent être remplacés par de la choucroute (ou du chou bouilli).

7. SOUPE AUX LEGUMES

Boulettes aux pommes de terre et poireaux hachés.

Les recettes de l'Alimentation Dissociée contenues précédemment dans la partie principale de ce livre, peuvent également être appliquées aux diabétiques compte tenu des principes requis: respecter les quantités autorisées d'hydrates de carbone et ne pas consommer de sucre.

Des modifications peuvent être apportées également à ces recettes pour tenir compte de la maladie à prendre en considération.

L'Alimentation Dissociée excluant un surplus de nourriture concentrée en raison de la part d'aliments hyperbasiques, est rassasiante et suffisante du point de vue qualitatif et quantitatif. L'exemple de plats ci-dessous indique clairement les différentes quantités d'aliments que l'on mangera respectivement au cours d'un repas à base de protéine ou d'un repas à base d'hydrates de carbone.

Repas à base de protéine: viande, légumes, fruits et salade.

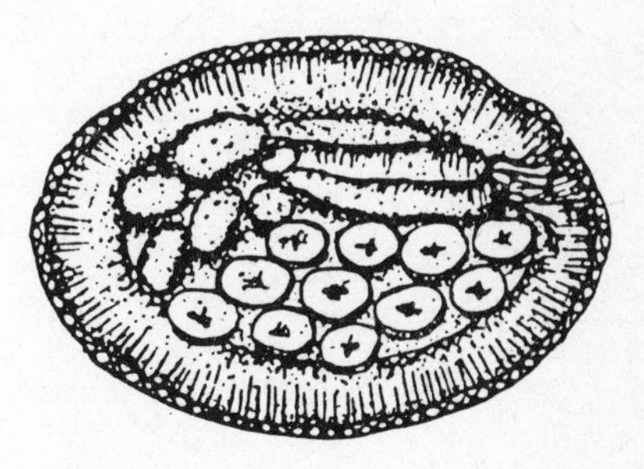

Repas à base d'hydrates de carbone: pommes de terre, crudités et salade.

Et voici, pour terminer, le rapport qui nous a été adressé par un malade, Directeur d'un Institut Méthode, Efficience et Succès.

Il écrit: «C'est un ami qui attira mon attention sur votre oeuvre "L'Alimentation Dissociée d'après HAY". J'ai entre-temps quelques mois d'expérience et je suis enthousiasmé. Je ne ressens plus aucune fatigue après les repas. Ma force créatrice, ma vitalité, ma souplesse intellectuelle et physique se sont sensiblement améliorées. Certains troubles de la digestion se sont atténués de manière remarquable après peu de temps. Antérieurement j'ai fréquemment essayé de réduire mon poids par la faim, ce qui s'est répercuté de manière négative sur mon état d'esprit et de ce fait sur ma capacité de travail, qui est d'importance primordiale dans ma profession.

Maintenant je mange toujours à ma faim, tout en gardant mon poids qui diminue même un peu.

J'ai recommandé entre-temps avec le plus grand succès à des amis, plus de 20 exemplaires de votre livre sur l'Alimentation Dissociée.

Remerciements sincères
Secrétariat de l'Institut J.

Des lettres analogues font partie de notre courrier quotidien et elles nous ont d'ailleurs incités à créer le chapitre supplémentaire destiné aux diabétiques qui peuvent, de même que les autres malades, améliorer leur état de santé en pratiquant l'Alimentation Dissociée.

Des imprimés spéciaux concernant des exposés et congrès sur l'Alimentation Dissociée et sur la thérapeutique électroneurale peuvent être adressés sur demande aux médecins et autres personnes intéressées.

Ils peuvent être obtenus gratuitement à la

Clinique Dr. WALB
Am Hohen Berg
6313 HOMBERG/Ohm - Tél. (066 33) 816/817/818
Adresse privée: Am Hoden Tor 12 - Tél. (066 33) 76 68

OUVRAGES
concernant l'extrait de l'exposé
"L'ALIMENTATION DISSOCIEE D'APRES HAY"

BERGHOFF: Bericht über den 4. Weltkongreß für prophylaktische Medizin und Sozialhygiene
(Rapport sur le 4ème Congrès Mondial de médecine prophylactique et d'hygiène sociale)
Zeitschrift für ärztliche Fortbildung, 51ème année, brochure n. 1, 1962

GANTER G.: Darmentzündungen und Darmgeschwüre
(Endocolite, exocolite, ulcères intestinaux)
Neue dtsch. Klin. 8 : 458

GUTTENTAG, O.E.: Nierenerkrankungen, Nephrosen
(Maladies rénales, néphroses)
Neue dtsch. Klin. 8 : 141 et 142

HAUSWIRTH und KRACMAR: Über die bioelektrische Natur der Nahrung
(La nature bioélectrique de l'alimentation)
Erfahrungsheilkunde, volume 6, brochure n. 15, 1958. Karl F. Haug Verlag, Ulm

HAY, W.H.,M.D.: A new Health Era. Pocono Haven. Pa.
(Textes traduits par Ilse WALB)

HOLTMEIR, H.J.: Diät bei übergewicht und gesunde Ernährung
(Diète en cas de surpoids et alimentation saine)
Georg Thieme Verlag, Stuttgart 1964

KNAPP, A.: Ein Querschnitt durch die neueste Medizin, dargestellt von ihren Schöpfern
(Une vue sur la nouvelle médecine, présentée par ses créateurs)
Dtsch. Ärztebl. 69,51

Lehrbuch der speziellen pathologischen Physiologie für Studierende und Ärzte.
(Manuel de la physiologie pathologique spéciale pour étudiants et médecins)
Jena. Verlag Gustav Fischer. Rédaction: L. HEILMEYER

LUTZ, O.: Einfluß der Nahrung auf die Harnacidität
(Influence de l'alimentation sur l'acidité urinaire)
Z. exper. Med. 4/6

MENZEL: Therapie unter dem Gesichtspunkt biologischer Rhythmen
(Thérapie sous l'aspect de rythmes biologiques)
Ergebnisse der physikaldiätetischen Therapie
(Résultats de la thérapie physico-diététique), Volume 5, 1955
Verlag von Th. Steinkopf, Dresde et Leipzig

MULLER-WIELAND: Tuberkulose und Ernährung
(Tuberculose et alimentation)
Deutsches medizinisches Journal, 12, 1961

Medical-Tribune: Stoffwechselfaktoren hemmen antibakterielle Aktivität der Lunge
(Des facteurs métaboliques entravent l'activité antibactériolytique du poumon). n. 4, 1967

REDEL: Cesra Baden-Baden. Brochure 3/4 7ème année 1960

REINSTEIN: Der kranke Darm.
(L'intestin malade)
Sanitas-Verlag, Bad-Wörishofen

REITZ, A.: Nahrungsmittel
(Aliments)
Alemannen-Verlag, Stuttgart

STRAUB, H.: Acidose
Neue dtsch. Klin. 1 : 125 et 127

VEIL, W.H.: Herzmuskel - und Herznervenkrankheiten
(Maladies du myocarde et neurocardiaques)
Neue dtsch. Klin. 5 : 19/20
Journal médical pour le Hesse-Nassau et Kurhessen 8,20 : 268

WALB, L.: Rheumaprobleme des Praktikers einst und jetzt
(Problèmes rhumatiques du praticien jadis et actuellement)
Erfahrungsheilkunde 1956 : 457

WALB: Revolutionäre Erkenntnisse in der Gesundheitsführung
(Constatations révolutionnaires dans la prévoyance visant la santé)

WALB: Bedeutung der Elektroneural-Medizin für den Landarzt
(Importance de la médecine électroneurale pour le médecin de campagne)
Erfahrungsheilkunde 1956, Brochure 6

WALB: Rheumaprobleme des Praktikers einst und jetzt
(Problèmes rhumatiques du praticien jadis et actuellement)
Erfahrungsheilkunde, Volume 5, Brochure 10, 1956

WALB: Verhinderung der chemischen Gleichgewichtsstörung
(Empêchement de la perturbation de l'équilibre chimique)
Medizin heute, 8ème année, Brochure 1, 1959

WALB: Prophylaxe allergischer Krankheiten
(Prophylaxie des maladies allergiques)
Medizin heute, Brochure 11, 1961

WALB: Nierenerkrankungen und ihre Prophylaxe
(Maladies rénales et leur prophylaxie)
Vitalstoffe und Zivilisationskrankheiten
(Substances vitales et maladies engendrées par la civilisation)
Brochure 4, Volume 8, 1963

WALB: Die Haysche Trenn-Kost, 16ème édition
(L'Alimentation Dissociée d'après HAY)
Karl F. Haug Verlag, Heidelberg 1966

WALB:Über den Einfluß sinnvoller Ernährung
(L'influence d'une alimentation judicieuse)
Erfahrungsheilkunde, Brochure 9, 1964

WALB: Die Haysche Trenn-Kost
(L'Alimentation Dissociée d'après HAY)
Physikalische Medizin und Rehabilitation, 8ème année, Brochure 6, juin 1967

WALB: Über die Wirkung der Trenn-Kost, besonders bei Nierenkrankheiten
(L'effet de l'Alimentation Dissociée exercé essentiellement en cas de maladies rénales)
Zeitschrift "DIAITA", n. 6, décembre 1967

WALB: Die Elektroneuraldiagnostik und - therapie nach CROON und die Bedeutung objektiv gemessener Daten für gestörte Körperfunktionen.
(Diagnose/thérapie électroneurales d'après CROON et l'importance des dates mesurées objectivement en cas de troubles fonctionnels du corps humain)
Physikalische Medizin und Rehabilitation, 9ème année, Brochure 7, juillet 1968

WALB: Über die Wirkung der Trenn-Kost bei Diabetes
(L'effet exercé par l'Alimentation Dissociée en cas de diabète)
Physikalische Medizin und Rehabilitation, 10ème année, brochure 10, octobre 1969

WALB: Messung des Zeitverhaltens des elektrischen Widerstandes und der Kapazität von Haut - und Reaktionsstellen im Tierversuch
(Mesurage du comportement de la résistance électrique dans le temps et de la capacité de points de la peau et de réaction dans le cadre de l'expérimentation faite sur les animaux)
Physikalische Medizin und Rehabilitation, 11ème année, Brochure 1, janvier 1970

WALB: Die Elektroneuraldiagnostik und - therapie nach CROON
(La diagnose/thérapeutique électroneurale d'après CROON)
Physikalische Medizin und Rehabilitation, 14ème année, Brochure 9, septembre 1973

WALB: Elektro-Diagnostik in der Praxis
(Le diagnostic électrique au cabinet de consultation)
Erfahrungsheilkunde, Volume 24, Brochure 4, avril 1975

WALB: Diät in der Herztherapie
(La diète dans la thérapeutique cardiaque)
Physikalische Medizin und Rehabilitation, 17ème année, Brochure 8, août 1976

WALB: Kurzreferat über das Croonsche Verfahren
(Bref exposé sur le procédé de CROON)
Physikalische Medizin und Rehabilitation, 18ème année, Brochure 6, février 1977

WALB: Diskussionsbeitrag zum Thema: Viele Diätkonzepte -woran soll sich der Arzt in der Praxis halten?
(Eléments de discussion concernant le thème: nombreux concepts de diète - quelles sont les directives auxquelles le médecin doit se conformer au cabinet de consultation?)
Physikalische Medizin und Rehabilitation, 18ème année, Brochure 8, août 1977

WALB: Entschlackung mit Trenn-Kost - 20 jährige Erfahrung
(Désintoxication par l'Alimentation Dissociée - 20 ans d'expérience)
Physikalische Medizin und Rehabilitation, 21ème année, Brochure 6, juin 1980

Des imprimés spéciaux sur l'Alimentation Dissociée et la thérapeutique électroneurale d'après CROON, par Dr. WALB, vous seront adressés gratuitement sur demande.

Adresse de l'auteur:

Dr. H.L. Walb, 6313 Homberg/Oberhessen, Am Hohen Tor 12
Clinique Dr. Walb, Am Hohen Berg, Tél. (06633) 816/817/818
Privé: Am Hohen Tor 12, Tél. (06633) 76 68.

TABLE DES MATIERES

Nourriture en cas de diabète

Imprimerie:
TIPO-LITOGRAFIA LIGURE
Via Sottoconvento, 28-b
18039 VENTIMIGLIA (Italia)
Imprimé en Italie